# A ÚLTIMA MULHER

*LUIZ ALFREDO GARCIA-ROZA*

# A ÚLTIMA MULHER

COMPANHIA DAS LETRAS

*Grafia atualizada segundo o Acordo Ortográfico da Língua Portuguesa de 1990, que entrou em vigor no Brasil em 2009.*

*Capa*
Claudia Espínola Carvalho

*Foto de capa*
Motortion/ iStock/ Getty Images Plus

*Edição*
Mateus Baldi

*Preparação*
Lígia Azevedo

*Revisão*
Nina Rizzo
Márcia Moura

*Os personagens e as situações desta obra são reais apenas no universo da ficção; não se referem a pessoas e fatos concretos, e não emitem opinião sobre eles.*

Dados Internacionais de Catalogação na Publicação (CIP)
(Câmara Brasileira do Livro, SP, Brasil)

Garcia-Roza, Luiz Alfredo
A última mulher / Luiz Alfredo Garcia-Roza. — 1ª ed.
— São Paulo : Companhia das Letras, 2019.

ISBN 978-85-359-3237-9

1. Ficção brasileira I. Título.

19-26241 CDD-B869.3

Índice para catálogo sistemático:
1. Ficção : Literatura brasileira B869.3

Maria Alice Ferreira — Bibliotecária — CRB-8/7964

*1ª reimpressão*

[2019]

EDITORA SCHWARCZ S.A.
Rua Bandeira Paulista, 702, cj. 32
04532-002 — São Paulo — SP
Telefone: (11) 3707-3500
www.companhiadasletras.com.br
www.blogdacompanhia.com.br
facebook.com/companhiadasletras
instagram.com/companhiadasletras
twitter.com/cialetras

# PRIMEIRA PARTE
## O labirinto

# 1.

Seu apelido era Ratto. Baixo e magro, tinha a cabeça com uma forma que lembrava a de um roedor. As pessoas o achavam repulsivo, apesar de cuidar da higiene pessoal e de vestir sempre terno, camisa social e gravata, todos de boa qualidade, limpos e passados, além de sapatos engraxados. A aparência fez com que desde cedo procurasse lugares pouco iluminados, sombrios, o que nem sempre era fácil em uma cidade como o Rio de Janeiro.

A história teve início quando ele ainda vivia no Centro. Durante o dia circulava pela Cinelândia, sobretudo pelas ruelas, saindo da praça Floriano em direção aos arcos, por onde os carros da polícia não passavam. À noite frequentava os bares da Lapa. Não da Lapa dos casais bem-vestidos, moradores da Zona Sul, com dinheiro para gastar nos restaurantes e nas casas de espetáculos da rua do Lavradio — sua área de atuação era a Lapa profunda.

Não demorou muito até se tornar conhecido das mulheres que faziam a vida na noite do bairro e dos meninos e meninas que circulavam pela Cinelândia. Passou a gerenciar e dar proteção aos menores da área, que praticavam pequenos furtos, e às prostitutas. Não todas, mas um número suficiente para manter seu estilo de vida. Daqueles dois negócios, ele mesmo fazia a contabilidade, no que sempre fora bom. E havia seu sócio, Japa, um advogado alcoólatra tão inteligente quanto astucioso, que resolvia as dificuldades com a lei. Finalmente, uma rede de olheiros menores de idade funcionava como radares de curto alcance, mas bastante eficientes. Ratto nunca lidara com drogas e traficantes, que considerava gente muito violenta e com o inconveniente de atrair polícia. Tampouco fizera uso de armas de fogo. Suas únicas armas eram a pequena estatura, os dentes afiados e a capacidade de desaparecer quase instantaneamente quando necessário.

As coisas caminhavam bem, sem maiores conflitos internos, até o dia em que a polícia notou o quanto ele e Japa prosperavam. Certa noite, sozinho em um beco escuro, sem possibilidades de pedir auxílio, Ratto foi abordado por um policial.

— Proxenetismo, aliciamento e corrupção de menores, formação de quadrilha. Você sabe o que isso significa, seu ratinho de merda? Você vai passar o resto da vida atrás das grades.

Ratto engoliu em seco e perguntou à voz miúda:

— O que nós podemos fazer para nada disso acontecer?

— Nós, não. Você. Te espero amanhã, nessa mesma hora, com cinquenta por cento da grana que tiraram no mês passado. Se eu perceber que estão tentando me enganar, vai ter sido a última vez.

Ratto não pretendia retornar na noite, tampouco podia continuar flanando na Cinelândia ou na Lapa. A única solução era sumir levando consigo parte do dinheiro arrecadado no mês anterior. A outra parte enfiou num envelope e entregou a Japa. A partir de então, tornou-se um fugitivo.

O dia já tinha clareado quando saiu do metrô na estação Siqueira Campos, em Copacabana. Como o rato que era, conhecia a geografia do bairro, não propriamente a da superfície e seus habitantes diurnos, mas a subterrânea e alguns dos seus roedores noturnos. Por precaução, e por medo do policial com sua turma, passou a se mover no verdadeiro submundo de Copacabana. O passo seguinte foi alugar um quartinho num hotel de quinta categoria na ladeira dos Tabajaras. O lugar era apertado: consistia em metade de um quarto, dividido por um tabique de compensado. Em cada lado cabia apenas uma cama de solteiro; debaixo dela, um baú com cadeado para guardar a roupa e os pertences do inquilino.

Passaram-se dois meses sem que tivesse notícia do policial. Achava que seu grupo não atuava na Zona Sul, área dos policiais mais protegidos. Felizmente, ainda não fora notado por nenhum deles. Durante o dia só andava vestido com macacão de funcionário da prefeitura. Seu medo era ser parado por uma viatura e algum dos guardas pedir a carteira de identidade. E claro que não tinha uma. Antes de se ocupar em arranjar uma nova, coisa que custava algum dinheiro, precisava ampliar sua equipe de trabalho. Já tinha duas mulheres naquela área, Sueli e Silvia. Elas cuidavam dele e ele cuidava delas. Mesmo esquema da Cinelândia. Os dois meses de hospedagem foram pagos adiantados e ele não passava fome. Ratto é assim, pensava.

Uma noite em que já tinha tirado o macacão, tomado banho e vestido o terno noturno, as duas meninas que trabalhavam com ele surgiram com uma terceira, também jovem. Era mais alta do que ele, o que não era raro, tinha o corpo bem-feito apesar de algumas marcas de percurso, e olhos atentos, expressivos e inteligentes. Sua voz era melodiosa.

— Muito prazer, seu Ratto.

— Minha querida, quem se chama Ratto não pode ter "seu", "senhor" ou "doutor" antes do nome. Me chame de Ratto, só isso. E você, como te chamam?

— Rita.

— Bem-vinda ao time, Rita.

Quando já haviam se passado mais dois meses, quatro desde que saíra da Cinelândia, Ratto estava mais unido a Rita do que a Silvia e Sueli. Ela era observadora, estava sempre atenta a quem se aproximava, e tinha uma inteligência que o surpreendia. Sem que Ratto pedisse, ela começou a tomar conta de seu corpo e de seus afetos.

Ele queria levá-la para conhecer o Centro. Começava a sentir saudades da Cinelândia, da Lapa, dos amigos de que não havia tido tempo de se despedir. O policial, Ratto imaginava, continuaria tomando conta da área. Era onde conseguia dinheiro e alimentava sua fama de valente. Ratto acreditava que, se fosse pego por ele, duas coisas podiam acontecer: ou seu corpo amanheceria boiando na baía de Guanabara ou trancafiado numa cela depois de uma noite no hospital. Certeza mesmo só tinha de uma coisa: o policial não teria esquecido, e era fácil se lembrar de Ratto. Portanto, antes de arriscar a vida aparecendo na Cinelândia, o melhor que tinha a fazer era entrar em contato com Japa para saber como estavam as coisas por lá. Nos últimos meses, com a sociedade desfeita, haviam se falado muito pouco.

Na noite de quarta-feira, ele chegou à Lapa pela rua mais cheia de gente, vestido como um pobre qualquer. Parou em um velho orelhão cheio de adesivos com o número de prostitutas e ligou para Japa. Ninguém atendeu. Decidiu parar no bar que frequentavam e perguntar ao garçom onde poderia encontrá-lo.

— Pelo que dizem, só no cemitério.

— Matado?

— Parece que sim.

— Quem foi?

— Só ouvi que mataram. Como ou quem foi, não sei.

— Quando?

— Logo depois que você sumiu. Pensei que você também tivesse ido.

— Cuide para que os outros continuem pensando — Ratto disse. E tratou de desaparecer. Para não correr o risco de encontrar o policial, se era que ainda ficava por lá, andou até a estação Glória em vez de pegar o metrô na Cinelândia. No Hotel Tabajara, se livrou da roupa, vestiu o macacão e ficou esperando Rita voltar do trabalho. Ser prostituta, ele pensava, dependia de dois fatores: sorte e destreza em seduzir aqueles que se aventuravam a parar na avenida Atlântica para saber o preço do programa. Com o tempo, Ratto tinha aprendido a conviver com aquela espera cheia de conflitos. De vez em quando, lembrava-se de Japa, um cara bacana, inteligente e amigo. O filho da puta do policial não precisava ter matado o cara. Mas vida de bandido é isso mesmo, pensou. Daquela data em diante poderia ser morto sem nenhum aviso prévio. Seu rosto era facilmente reconhecível na multidão. Tinha que mudar de cidade, talvez ir para um lugar maior onde pudesse se perder. A poupança que mantinha com Japa na Caixa Econômica, e que agora era só dele, devia dar para recomeçar a vida em algum lugar onde não tivesse que viver escondido durante o dia e sair apenas à noite.

Na manhã seguinte, saiu para verificar como estava a conta. A agência ficava na rua do Catete. Foi de banho tomado, terno limpo e passado, camisa social e gravata. No caixa eletrônico, tirou o cartão do bolso, conferiu a senha num pedacinho de papel que guardava dentro da carteira e escolheu no monitor as opções que lhe serviam. Não entendeu de imediato o que apareceu na tela. Retirou uma senha para ser atendido.

— O que o senhor deseja?

— Saber meu saldo.

O funcionário pegou o papel com o número, acessou a conta e disse:

— Seu saldo é zero, senhor. Sua conta-poupança foi fechada.

— Fechada? Nunca fechei conta nenhuma. Para onde foi meu dinheiro?

— É melhor o senhor falar com o gerente. Eu só oriento os clientes.

Embora se dirigisse a ele com delicadeza, o gerente não parecia considerar Ratto uma pessoa confiável. O máximo que conseguiu dizer depois de consultar o computador foi que sua conta estava zerada e que fora encerrada pelo titular.

— Senhor, o titular sou eu. Há anos que não retiro dinheiro dessa conta, só deposito todo mês.

— Se o senhor quiser, pode abrir outra conta em seu nome.

Sem dizer nenhuma palavra, Ratto levantou-se e caminhou em direção à saída.

Eram três horas da tarde e ele não tinha tomado café da manhã nem almoçado. No trajeto para a ladeira dos Tabajaras, passou por um bar com duas mesas na calçada e um quadro-negro pregado na parede anunciando lanches e pratos rápidos e saborosos: sanduíche de peito de peru assado, pernil de porco com abacaxi e omelete. Escolheu a mesa mais protegida e fez o pedido. Depois de comer, foi direto para o hotel. Rita estava deitada, mas acordada.

— E aí, como foi no banco?

— Tiraram todo o meu dinheiro. Minha conta está zerada e encerrada.

Ela ficou olhando com os olhos arregalados, que foram se enchendo de lágrimas.

— Só três pessoas sabiam do dinheiro, além de nós dois: Japa, a irmã dele e o policial. Um deles pode me dizer o que foi feito com a grana. Não comente isso com absolutamente ninguém. Nem com Sueli e Silvia. Vou me afastar por uns dias. Não se preocupe com o quarto, está pago. Deixei algum dinheiro para seu dia a dia, dentro da mochila. E preste atenção: qualquer problema com quem quer que seja, procure o delegado Espinosa na 12ª DP, a duas quadras daqui. Não se esqueça desse nome: Espinosa. Ele me conhece.

— Você vai sair hoje mesmo?

— Quanto antes, melhor. Não tente me procurar. Não vai funcionar e pode ser perigoso.

— E o que eu vou fazer?

— Você já faz bastante coisa. Não abuse. Você vai estar sozinha.

## 2.

No dia seguinte à saída de Ratto, Rita ficou no hotel como ele mandara. No terceiro dia, sem avisar ninguém, decidiu sair em busca de Japa e do policial. Começaria pelo primeiro. Esperou escurecer e foi até a estação do metrô. Vestiu a roupa mais sóbria que tinha, pegou uma jaqueta jeans e a mochila. Na caminhada da estação Glória até o cruzamento da rua da Lapa com a Joaquim Silva, ela teve uma mostra do trabalho das colegas de prostituição. Analisou intimamente o estilo de cada uma e seguiu desviando o olhar, tentando ser notada o mínimo possível.

Certa vez, enquanto perambulavam, Ratto lhe dissera onde Japa morava para o caso de algum dia ela se encontrar em uma emergência. Rita pensou que o dia havia chegado. Japa e a irmã dividiam um apartamento térreo, de fundos, cujas janelas davam para um muro caindo aos pedaços. Não havia porteiro. Rita entrou direto e tocou duas vezes. Ao segundo toque, uma mulher de meia-idade abriu.

— Boa noite, meu nome é Rita, sou...

— Sei quem você é — disse a mulher. — Meu irmão contou da nova putinha do Ratto. Veio em busca do butim ou do seu homem?

— Como você...

— Você, não. Senhora. Meu nome é Zilda. E repito a pergunta: você veio em busca do butim ou do seu homem?

— Você sabe onde ele está?

— Claro. No mesmo lugar para onde mandou meu irmão.

— Preso?

— Não. Morto.

Rita sentiu o tempo parar.

— Morto?

— Ou desaparecido, o que dá no mesmo.

— E essa outra coisa que você perguntou se vim buscar?

— O butim? Você não sabe o que é? É aquilo que se rouba dos derrotados, produto de trabalho ilícito, roubo. Ou acha que o que Ratto fazia era trabalho legal?

— Ele era sócio do seu irmão.

— Meu irmão era advogado. O que ele fazia era tirar seu namorado da cadeia ou evitar que fosse preso. Ratto pagava meu irmão por esse trabalho. Eles não faziam a mesma coisa.

— Não sei por que está falando comigo dessa maneira. Não conheci o seu irmão e não conheço você. Vim aqui porque Ratto me passou esse endereço caso tivesse problemas. Não vim para brigar nem pedir nada a ninguém. Só queria que me dissessem o que fizeram com...

— Eu já disse: provavelmente a mesma coisa que fizeram com meu irmão. Bateram nele até matar, depois jogaram o corpo num buraco qualquer.

Rita ficou olhando para Zilda sem saber o que dizer. Esperou que a outra dissesse ou fizesse alguma coisa, mas ela continuava segurando a maçaneta com as duas mãos. Como nada aconteceu, Rita prendeu o choro, girou o corpo e foi embora.

Morto. Aquela palavra significava coisas das mais variadas. Algumas vezes significava até seu oposto, "não morto", que no entanto não tinha o mesmo valor que "vivo". A cabeça de Rita não fora alimentada com ideias o bastante para preencher o vazio que ela sentia desde que Ratto desaparecera ou morrera, como dissera Zilda sem nenhuma delicadeza. Sequer houvera distinção no tom quando falara da morte do irmão. Eram mortes baratas, de segunda classe, sem cerimônias ou emoções. Tão pobres que nenhum dos dois portava um nome de verdade. Um se dizia Ratto e o outro, Japa. Rita tinha dificuldade de concatenar seus sentimentos, como se houvesse para as classes privilegiadas catálogos de expressões, uma para cada situação, e ela não tivesse referências suficientes para orientá-la em tal momento. Então não sofria, por vergonha de sofrer errado.

Rita saiu andando sem saber qual caminho tomar. Ratto falava muito na Cinelândia, como também falava de todo o movimento na Lapa. Ela não gostara da Lapa, ou não gostara da irmã de Japa que morava na Lapa e estendera aquilo ao bairro que nem chegara a ver direito. Não estava vestida para o trabalho, pronta para seduzir, e seu tipo e a ausência de maquiagem a faziam parecer uma jovem recém-saída da adolescência e curiosa pela vida adulta. Para ela, Ratto só seria pego se fosse vítima de uma armadilha ou de uma delação. Era um homem acostumado a sumir nas multidões, do tipo que não se distraía. Restava a armadilha. Quem seria capaz de armá-la? Ele não frequentava rodinhas de bebida, falava apenas o necessário, poucas pessoas sabiam de seus hábitos. Apenas algumas poucas poderiam armar uma cilada para ela. A primeira daquelas pessoas seria Japa, pela proximidade; a segunda seria Zilda, que conhecia Ratto tanto quanto o irmão; a terceira, ela própria, Rita, que morava e dormia com Ratto, mas para quem, mesmo depois de meses de cumplicidade, ele ainda era um mistério; e por fim, as duas amigas que a tinham apresentado a ele, que eram protegidas por Ratto e sabiam onde morava.

Rita foi por exclusão. Silvia e Sueli poderiam ser no máximo alcaguetes, e mesmo assim só teriam a perder entregando seu protetor, além de não terem inteligência para armar um esquema de delação com a polícia. Sobravam então Japa e sua irmã. Japa só teria a perder: ele e a irmã se sustentavam com o dinheiro obtido através do esquema montado e mantido por Ratto. Além do mais, os dois eram amigos desde adolescentes, Japa ficava muito pouco tempo sóbrio e talvez nem estivesse vivo. Sobrava Zilda, que cuidava do irmão alcoólatra. Parecia ressentida e raivosa, mas tampouco tinha algo a ganhar, a não ser boa parte do tal butim que mencionara.

O esforço de Rita para articular o que eram elementos distintos e desencontrados na busca de um sentido foi feito dentro do metrô no percurso de volta para casa. Se não podia ter a presença física de Ratto, podia pensar nele ou tentar pensar *como* ele para decifrar o que tinha acontecido.

Desaparecimento e morte eram a mesma coisa, dissera Zilda. Ela podia saber do desaparecimento de Ratto pelo simples fato de não o ter visto mais no bairro, mas como poderia ter certeza de que ele estava morto? E quem mencionara um butim ou dinheiro fora Zilda. Como sabia de sua existência? Quem tinha ficado com ele?

Rita chegou à estação Siqueira Campos ainda entregue ao quebra-cabeça que ela mesma montara. Sentia-se triste pela ausência de Ratto e enfurecida pela figura de Zilda, que achara nojenta. O fato era que já levantara algumas questões para as quais não encontrara resposta, e antes de completar a subida ao Hotel Tabajara, já tinha decidido voltar ao apartamento de Zilda para resolver as dúvidas que restavam.

Na manhã seguinte, saiu de casa antes de o dia clarear. Queria pegar a mulher ainda dormindo. Já havia perdido Ratto. Não tinha mais nada a perder.

# 3.

Zilda não tinha nenhum interesse no que poderia ter acontecido a Ratto, mesmo sabendo que parte dos custos da casa era paga com dinheiro que provinha dele. Não gostava de Ratto, sua simples presença lhe repugnava, assim como seu dinheiro. Ela pressentiu, porém, que Rita não a deixaria em paz tão cedo — e tinha razão. Escolhera fugir. Pagara a uma vizinha para ficar de olho em possíveis visitantes e alugara um quartinho alguns quarteirões acima.

Quando lhe contaram que Zilda tinha se mudado, Rita mal acreditou, e foi embora lamentando profundamente a fuga da irmã de Japa — não por admitir alguma qualidade nela, mas por perder a única ponte para chegar a ele ou Ratto, vivos ou mortos. Sentia que agora procurava um rato específico, verdadeiro, nos labirintos da cidade.

O quarto de hotel onde continuava morando era o único ponto que a mantinha ligada a Ratto ainda vivo. Rita acreditava que se ele deixara dois ou três meses pagos era porque acreditava que estaria vivo durante esse tempo, esperança à qual ela se agarrava com as forças que ainda lhe restavam. Por mais paradoxal que fosse, Zilda era um dos suportes daquela esperança, o que justificava o sentimento de perda que viera com a fuga da irmã do advogado.

As duas amigas, Silvia e Sueli, tinham conseguido alugar um meio quarto no mesmo hotelzinho, com a condição de não levarem homens para lá e não se relacionarem com hóspedes. Aquela mudança dava um pouco mais de segurança às três, que em caso de necessidade podiam ajudar umas às outras.

Rita tentava calcular havia quanto tempo Ratto estava desaparecido. Sua vivência do tempo sofrera uma deformação que tornava difícil e doloroso um pensamento cujo conteúdo fosse feito de lembranças dele, além de frequentemente misturar lembrança com percepção e imaginação.

Depois que ousara ir duas vezes à casa de Zilda, Rita se dera conta de que podia transitar por aquela região sem risco de ser descoberta. E por descoberta ela entendia ser reconhecida como uma das mulheres de Ratto. Mas também percebera que não era nem vista pelos outros. Não era visível uma vez que se destituía de todos os signos de mulher sedutora e surgia como uma jovem sem nada capaz de chamar a atenção. Criara uma segunda Rita, que não interessava a ninguém.

De início, não gostara da novidade, mas rapidamente percebera que não se tratava de uma perda, mas de um ganho. Ela, que era uma, virara duas. Esforçava-se para não sorrir, para não perder a cara de tédio. Tinha que aprender a manter a máscara da outra Rita para não correr o risco de revelar a primeira, que tampouco era a original. Tinha certeza de que Ratto não estava morto e reapareceria de uma hora para outra sem qualquer aviso. Apostava na região da Lapa como seu local de retorno. Passara então a frequentá-la em dias alternados. Naquela noite, ao voltar para Copacabana, conversou com Silvia e Sueli sobre a possibilidade de verem Ratto à distância ou deparar com ele.

— Não estou afirmando que ele está vivo — Rita disse. — Entendam que estou falando "no caso de ele estar vivo". Até agora não há nenhuma prova material de que tenha sido morto pela polícia, como disse a irmã do Japa. Caso encontrem o Ratto, se comportem como se estivessem vendo um conhecido qualquer.

Em seguida, falou sobre o plano de circular pela Cinelândia e pela Lapa algumas noites por semana para encontrar Ratto ou alguém que soubesse dele. As duas se ofereceram para ir junto, mas ela achou que não seria conveniente três estranhas começarem a circular pela praça e pelas ruas vizinhas. Teria de ir sozinha.

Aqueles dois bairros não eram conhecidos por Rita a não ser superficialmente. Precisaria, portanto, se habituar à geografia física e humana. Precisaria ter em mente, para uso rápido e imediato, quais eram as saídas e os caminhos de fuga mais acessíveis. Partindo da Cinelândia, podia chegar à Lapa pela rua Evaristo da Veiga, andando até os arcos. Atravessando o aqueduto pela Mem de Sá, chegaria depois de uma quadra à rua do Lavradio. Poderia, no entanto, não atravessar o aqueduto e pegar o caminho oposto, partindo da Cinelândia e tomando a rua do Passeio até o largo, chegaria à região da Lapa profunda dos botequins e casas de cômodos, mais ao gosto de Ratto.

Não andava devagar. Mantinha o passo de quem fazia exercício aeróbico, embora a roupa não combinasse com o comportamento e a intenção. Naquela primeira noite, percorreu as ruas mais históricas e com passado mais pesado. Evitara algumas pequenas aglomerações que poderiam ser perigosas, mas nem aqueles desvios provocavam manifestações. Tinha feito o circuito Cinelândia-Lapa-Cinelândia sem passar duas vezes pelo mesmo lugar, mas não percebera o mínimo indício de passagem do Ratto pela região.

Havia uma entrada do metrô na calçada oposta, bem à sua frente. Ela atravessou a praça e desceu. Quando foi entrar no vagão para Copacabana, cruzou com uma mulher de óculos escuros que lhe pareceu conhecida. Deu meia-volta, mas as pessoas que ainda entravam barraram sua saída e as portas se fecharam. Tentou olhar pela janela, mas a composição já estava em movimento. O que havia retardado em uma fração de segundos seu retorno à plataforma tinham sido os óculos escuros. Ela desceu na estação seguinte e pegou o trem de volta à Cinelândia. Confusa e cansada, no que parecia ser um começo de desespero, Rita subiu e desceu parte da Joaquim Silva, mas não conseguiu localizar o prédio. Pareciam todos iguais, com as mesmas fachadas sujas e pouca luz iluminando as vidraças. Se a mulher era Zilda, significava que continuava morando no apartamento e a vizinha mentira.

* * *

Zilda acordou no meio da tarde e procurou alguma coisa para comer. Na geladeira ainda tinha ovos, pão de fôrma, duas fatias de carne assada e metade de uma alface com as folhas queimadas pelo frio. A refeição, não mais almoço e ainda não jantar, a satisfez. Precisava sair para comprar mantimentos com discrição. Não queria arriscar ser pega de surpresa e ter que dar satisfações àquela puta. Quanto menos ficasse fora, melhor. Apagou todas as luzes do apartamento e voltou a dormir. Acordou no meio da madrugada sentindo dores no corpo. Daquele momento até o amanhecer ficou pensando em qual seria a melhor solução para se ver livre de Rita.

O plano de vigilância e procura de Ratto ainda não resultara em nada significativo. Para moradores e trabalhadores da Lapa e da Cinelândia, garçons dos bares e restaurantes, Ratto e seu sócio tinham sido mortos e tido o corpo cortado em pedaços então queimados e enterrados em algum sítio abandonado da Zona Oeste ou da Baixada. Ninguém dizia que fora trabalho da polícia, assim como nenhum daqueles dados tinha qualquer fundamento a não ser a fantasia dos narradores que os contavam em diferentes versões; as que faziam mais sucesso eram as que relatavam como eles tinham sido jogados ainda com vida para ser devorados por cães, porcos selvagens e jacarés. Quanto mais barrocas eram as narrativas, mais se tornavam irreais aos ouvidos de Rita.

E a pergunta que ela se fazia era até quando continuaria aquela busca. Não se tratava de uma procura feita por pessoas treinadas, com ajuda da tecnologia, mas de algo feito por uma única pessoa, uma jovem que não era especialista e não dispunha de meios adequados atrás de um homem que lhe cativara, mas que conhecia pouco.

Zilda, por sua vez, sentia-se acuada de dois lados: por Wallace, o policial que ameaçara seu irmão e provavelmente matara Ratto, e por Rita. Não sabia qual dos dois temia mais. Desde que seu irmão desaparecera, estava sozinha e desprotegida, embora ele raramente estivesse em condições de protegê-la do que quer que fosse. Ainda se lembrava de quando Wallace invadira o apartamento para pegar o dinheiro. Trancada no quarto, ouvira os gritos vindos da sala sem poder fazer nada. Imaginou o irmão ajoelhado contra a luz dos postes, uma arma apontada para sua cabeça, e Wallace rindo. Quando finalmente foi liberada, encontrou Japa tremendo e pensando em algum jeito de se livrar daquilo.

— Não quero que você pague pelos meus erros — ele disse.

Zilda ficou quieta. No dia seguinte, o irmão saiu para dar uma volta ao cair da tarde. Ela estava na janela observando o movimento da rua quando viu a figura surgir das sombras e agarrá-lo pelo braço.

# 4.

Wallace não abriu o pacote ao recebê-lo de Japa. Deixou para fazer aquilo com Morena, sua garota preferida, quando estivessem ambos sentados na cama e pudessem contar nota por nota. Era uma quantia boa demais para ser apenas a parte que cabia a Japa, e aos poucos o boato geral passou a dar conta de que o advogado acabara confessando, sob tortura, que havia uma conta-poupança de anos, num valor que já ultrapassava cem mil reais. Aquele dinheiro teria sido transferido por Japa para outros bancos em nome de terceiros, na presença de Wallace, que deixara na conta um valor modesto para despesas pessoais. A história foi ganhando forma e conteúdo a ponto de ninguém mais duvidar de que um sujeito chamado Wallace tivesse roubado o dinheiro, matado Japa e Ratto e sumido com os corpos, embora o PM jamais tivesse confessado nenhum crime e os corpos não tivessem sido encontrados. Para Rita, cada dia mais convencida da própria esperteza, o jeito era encontrar a prostituta preferida de Wallace entre as que ele explorava.

Fisgar um homem pelo pau, ela sabia, muitas vezes era a melhor solução.

Saía de seu quarto em Copacabana, pegava o metrô e saltava na Cinelândia. Gostava de caminhar por entre os bares apinhados de sujeitos que não tiravam cigarros e palitos da boca. De vez em quando, arriscava entrar em algum cinema pornô das redondezas. Observava as figuras esquecidas atrás das sombras, recusava algumas investidas e perguntava aos seguranças sobre a movimentação policial. Estar sozinha em um cinema pornô se revelou um exercício de introspecção. Longe da algazarra das ruas, mas não o suficiente para se isolar em si mesma, conseguia pensar a respeito de Wallace e toda aquela perseguição invisível. Detalhes obtidos aqui e ali se uniam em uma teia cada vez mais uniforme, ainda que ela mesma não soubesse onde começava, quanto mais se haveria um fim.

De tanto frequentar os mesmos bares, Rita ficou íntima de alguns garçons. Um deles, magro e alto, com um bigodinho que caía por cima dos lábios como se feito a lápis, prometeu ajudá-la.

— As pessoas estão falando cada vez menos — Cícero disse. — Você está se tornando um problema.

— Eu imagino. De qualquer forma, muito obrigada. Você é um anjo.

— São tempos difíceis, menina. Em todos esses anos por aqui nunca vi tanta truculência.

— Dos policiais?

— De todo mundo.

* * *

Uma noite, estava encerrando o trajeto quando passou em frente ao bar e viu Cícero terminando um cigarro. Ele fez um gesto, e ela se aproximou.

— Que houve?

— Descobri um lance que pode te interessar.

— O quê?

— Dia desses saí com uma menina daqui da região, se é que você me entende, e consegui um nome pra você. Não sei se é verdade ou útil, mas já é alguma coisa. Consegue um dinheirinho pra mim em troca?

— Isso é sério?

— Estamos vivendo dias perigosos, não é fácil assim. Tenho meu lado para adiantar.

— Não tenho nada a ver com isso.

— Garota...

— Volto amanhã e a gente combina — Rita disse enquanto girava nos calcanhares e ia embora.

Quando chegou a Copacabana, uma chuva fina caía. Ela passara o trajeto inteiro meditando a respeito do que o garçom dissera. Se existia uma menina, existia um rastro até Wallace, alguma forma de atraí-lo para sua teia. No dia seguinte, voltou ao bar e entregou a Cícero algumas notas.

— Só isso? — ele disse. — É muito pouco.

— É tudo o que eu tenho.

— Então nada feito.

Rita lançou um olhar para o salão. A chuva espantara

todos os clientes. Apenas alguns bêbados habituais continuavam nas velhas mesas de canto.

— Você pode sair?

— Tenho um intervalo daqui a vinte minutos. Por quê?

— Me encontra no cinema aqui perto.

— O pornô?

— Isso. Me espera ali na porta. Pode ser?

Cícero riu e disse que sim. Uma hora depois, Rita tomava o metrô para Copacabana. Apesar do gosto amargo no fundo da boca, tinha um rastro concreto escrito com tinta azul e letra cursiva sobre papel branco: Morena.

Ignorando a chuva, Rita passou a desviar da Cinelândia. Descia na Glória e caminhava até as zonas escuras da Lapa, onde prostitutas e travestis conversavam de pé. Nos primeiros dias, sentiu um clima hostil. Olhares tortos e pessoas segurando objetos pontiagudos a fizeram adotar uma postura mais amigável. Puxou conversa com duas meninas, disse que não queria roubar o cliente de ninguém e explicou que só precisava de informações.

— Pode dizer — uma prostituta falou.

— Morena. Estou procurando por ela. É uma amiga.

— Como ela é?

Rita travou.

— Ela...

— Amiga porra nenhuma.

Rita segurou no braço da mulher antes que a perdesse de vez.

— Ela é uma das meninas do Wallace — disse.

— Por isso mesmo. Desculpa, não me meto com essa gente.

— Não precisa se meter, só dizer onde ela fica.

— Você está no lugar errado, gatinha.

— Não, eu...

— Aqui não tem nenhuma Morena. Seu amiguinho não ia deixar a garota aqui com a gente. Procura na praça Paris. Agora some.

Sorrindo, Rita agradeceu e foi embora. Nos dias que se seguiram, repetiu a metodologia, só que dessa vez cuidou de avisar desde o início que só queria saber de Morena. Ao contrário do que imaginava, o ambiente se revelou pouco hostil. O que havia era um silêncio morno, que se arrastava por entre as marquises e só era quebrado quando um carro baixava o vidro e as travestis corriam de salto alto pela calçada para explicar os valores. Fazendo amizade com algumas delas, Rita conseguiu descobrir onde ficava o apartamento aonde Morena levava os clientes.

— Tem certeza que você quer ir lá? — uma disse.

— Absoluta.

— Cuidado — a outra se intrometeu. — Naquele prédio só tem gente ruim.

Rita deu de ombros. Parada em frente ao edifício, respirou fundo e decidiu subir de escada, para evitar uma possível câmera dentro do elevador. Se a informação estava certa, Morena não possuía ponto fixo, mas o destino de seus clientes era o mesmo cubículo no sétimo andar. Para identificar a porta, lembrou-se do que havia sido dito em voz baixa: um tapete com a letra W — de *welcome* e de Wallace. Bateu duas vezes, mas ninguém respondeu. Forçou a maçaneta e viu que a porta estava aberta. Entrou tomando o cuidado de deixar atrás de si um caminho livre em caso de fuga.

Mas o apartamento estava vazio, exceto por uma garota sentada no vaso sanitário, com a cabeça tombada sobre o ombro e o pescoço quebrado.

Quando chegou de volta à Glória, Rita encontrou o metrô fechado. Passava da meia-noite e ela se sentia sozinha e muito assustada. Não queria terminar da mesma maneira que Morena. De pé sobre o respiradouro do metrô, se equilibrando na grade enferrujada, pensou que Wallace não seria um alvo fácil e que ainda não adiantava matá-lo. Se quisesse recuperar o dinheiro de Ratto, teria que chegar a Wallace vivo. Só ele sabia onde estava o dinheiro. Morto, não valia um centavo.

A morte de Morena não foi notícia de jornal, não repercutiu nas mesas dos bares nem correu de boca em boca nas esquinas e ruelas da Lapa. Wallace continuava fora de circulação e Rita não acreditava que estivesse desaparecido: o policial devia ter se escondido enquanto os boatos acerca do dinheiro caíam no esquecimento. Para ela, era nítido que havia um movimento dos bicheiros e donos de bar. Todos tentavam encontrar a grana usando os dispositivos que estivessem disponíveis. As boas e más línguas se uniram para divulgar que Wallace estava enfraquecido e que o dinheiro estava mais perto do que nunca.

Adotando o nome de Virginia, Rita voltou a fazer a ronda noturna. Ela se tornara conhecida, o que não era desejável nem prudente. Sua única segurança era a invisibilidade perante Wallace, garantida pelo frágil fato de que o policial nunca a tinha visto.

Mudara um pouco o trajeto, começando pelo lado mais turístico da Lapa, perto do Circo Voador, logo depois dos arcos. A estratégia consistia em observar os bares mais chamativos, repletos de turistas aplaudindo os conjuntos de samba, e talvez fazer amizade com um garçom prestativo. Contudo, a noite não estava boa. Devido ao movimento, ninguém tinha tempo de reparar nela. Rita achou melhor investigar depois e foi procurar os lugares mais sujos e esquecidos. Em um deles, pequeno e pouco iluminado, sem nenhum apelo turístico, viu um homem sentado numa mesa ao fundo e estremeceu. Não havia a menor dúvida, olhara dezenas de vezes para a fotografia que Ratto havia lhe dado junto com o endereço. Apesar de estar usando óculos e boné, era Japa. E devia estar acompanhado, já que na mesa havia outro copo e várias garrafas de cerveja. A cadeira à frente dele estava um pouco afastada, como se o ocupante tivesse saído para ir ao banheiro.

Rita atravessou a rua e ficou na calçada oposta vigiando o bar. Não conhecia Wallace, nem mesmo por fotografia. Podia ser ele quem voltara para ocupar seu lugar à mesa, ou qualquer outra pessoa. Caso saíssem e tomassem rumos diferentes, Rita não tinha como seguir os dois, e não saberia qual escolher. Pelo número de garrafas vazias, Japa continuava no mesmo ritmo de alcoolismo descrito por Ratto. Se o outro homem fosse mesmo Wallace, o descaramento de ambos era espantoso.

Rita teve medo. Estava de pé numa rua da Lapa, acampanando um possível assassino, sem ter ideia de quanto tempo duraria a conversa. Era risco demais para uma pessoa só. Decidiu tomar o metrô.

No vagão quase vazio, Rita tirou a mochila das costas, pegou uma barra de cereais e foi comendo até a estação Siqueira Campos. Pensava nas possíveis explicações da cena que acabara de presenciar. Apesar de estarem num lugar público e movimentado, Japa e Wallace, se fosse ele mesmo, não pareciam se esconder.

Antes de chegar ao hotel, ela havia se convencido de que a teia formava um desenho bastante nítido: Japa sacara o total da quantia depositada na conta e, junto com Wallace, matara o antigo parceiro. Em seguida, os dois haviam orientado Zilda a espalhar a notícia de que Ratto e o advogado tinham sido mortos. Então tinham desaparecido. Meses depois, quando ninguém mais se lembrava da história, os dois se sentiram suficientemente seguros para tomar uma cerveja como bons amigos. Se Japa estava vivo e circulando pela Lapa, talvez voltasse para seu apartamento, e foi naquela região que Rita passou a andar.

Uma noite, sem se incomodar, Japa desceu a rua da Lapa

em direção aos arcos. Não agia como um fugitivo, tampouco como criminoso. Para Rita, que observava a tudo enquanto mascava chiclete, era como seguir um bêbado que não sabia por onde estava andando nem para onde quer ir. Reconhecera-o ainda no começo do trajeto, e agora cuidava de manter uma distância que não a denunciasse. Com dificuldade, insistiu na perseguição até Japa ultrapassar um dos arcos e entrar num bar cheio de turistas. Rita se perguntava como Ratto tinha sido amigo daquele homem abjeto. Poderia muito bem falar com ele e exigir explicações, acabar logo com aquela história, mas e daí? O que poderia vir depois? Precisava ter calma e agir com frieza. Observou Japa se perder na bebida um pouco mais e, certificando-se de que ele não teria a companhia de Wallace, foi embora.

No hotel, correu direto para o quarto que Silvia e Sueli dividiam. A luz estava acesa, e a porta estava apenas encostada. Rita empurrou de leve e enfiou a cabeça lá dentro. As amigas estavam sentadas na única cama, conversando em voz baixa.

— Entra — Silvia disse.

Rita agradeceu e se sentou entre elas.

— Japa e Wallace estão vivos. Estive frente a frente com eles. Na verdade, não sei se o outro era mesmo o policial, porque não sei como ele é. Mas tenho certeza de que era ele, o Japa. Acho que não me viram. O outro era um homem alto e forte. Se virem alguém desse tipo rondando a ladeira, saiam de perto. Não digam que moram por aqui. Finjam que são do Méier e que vieram assistir a um desses shows que vai ter na praia. Se Wallace e Japa estão vivos e ficaram sumidos durante meses, é sinal de que roubaram o dinheiro do Ratto e voltaram na moita. Estamos entendidas?

No dia seguinte, Rita acordou e desceu para tomar café em um bar da Siqueira Campos. Ao voltar para o hotel, viu o suposto Wallace descendo a rua. Trocou de calçada e esperou que passasse. Só então correu e subiu até o quarto.

Silvia e Sueli estavam amordaçadas, com um guardanapo enfiado na boca, os braços e pernas amarrados e todos os dedos das mãos quebrados. A expressão delas era de terror. Rita se sentou na cama e deitou a cabeça das duas sobre suas pernas. Depois ligou para a polícia.

# SEGUNDA PARTE
## As sombras

# 5.

Espinosa terminou de tomar o café da manhã e desceu os três lances de escada que separavam seu apartamento da portaria do edifício no bairro Peixoto. Pequeno enclave no centro de Copacabana, o bairro Peixoto parecia uma cidade medieval com suas construções em círculo formando uma muralha ao redor da pracinha onde as crianças brincavam. Ele morava no mesmo apartamento desde os dez anos, quando seus pais, portugueses fugidos do regime salazarista, tinham se mudado do bairro da Saúde, no centro da cidade, para Copacabana. Do seu prédio até a 12ª DP, da qual era delegado titular, bastava atravessar a praça, pegar uma das ruas que serviam de entrada ao bairro e caminhar duas quadras pela Hilário de Gouveia. Aos sessenta anos, fazia o trajeto com mais calma do que antes, porém sempre atento ao movimento da multidão de Copacabana. Até aquela manhã, não sabia do que acontecera com Ratto, que ele conhecia do tempo em que estivera lotado na 1ª DP, no Centro, tampouco conhecia Rita.

Horas mais tarde, quando tentava pôr em dia o acúmulo burocrático da semana, recebeu o telefonema comunicando assassinatos em um hotel na ladeira dos Tabajaras. O inspetor Welber, que o esperava no pórtico que ornava a fachada da delegacia, explicou que no momento só havia uma viatura disponível.

— Podemos ir a pé — Espinosa disse. — Quero que você venha comigo ver o que aconteceu nesse hotel sem nenhuma estrela.

Saíram da delegacia e foram caminhando na direção da Siqueira Campos. Dobraram à direita em direção ao ponto em que a rua se bifurcava dando lugar ao início da ladeira dos Tabajaras. A portaria consistia em um balcão estreito, atrás do qual ficava a cadeira do recepcionista. Sobre o balcão, estava o livro de registro dos hóspedes e um pote com canetas esferográficas de diferentes cores. Assim que Espinosa e Welber entraram no hotel, dois PMs fardados, recostados no balcão, se viraram. Um deles foi ao encontro dos dois.

— Bom dia, delegado Espinosa. Tenente Denílson, 19º batalhão.

— Bom dia, tenente, este é o inspetor Welber, meu assistente. O que houve? O comunicado fazia referência a assassinatos, no plural.

— Isso mesmo, delegado. Duas moças foram enforcadas e tiveram o pescoço quebrado. Não entrei na cena do crime, mas olhei da porta do quarto. Deu para ver com clareza o que tinha acontecido.

— Quem é o gerente aqui?

— É o próprio dono. O nome dele é Pedroso. Ficou tão chocado com o crime que se trancou no quarto e não saiu mais.

— Primeiro vamos ver a cena.

— É no andar de cima.

— Só tem uma escada?

— O gerente disse que tem outra, nos fundos. Mas está sempre trancada por dentro.

— Ele disse isso espontaneamente ou você perguntou?

— Sobre a existência de outra escada?

— Não. Sobre estar sempre trancada por dentro.

— Ele falou sem eu perguntar.

Espinosa pediu que buscassem Pedroso, mas ele já descia os degraus. Era um homem de cabelos e barba brancos e olhos azuis, já passado dos sessenta e forte como um touro.

— Bom dia, doutor. Minha mulher me avisou que o senhor estava aqui.

— E ela me conhece, sr. Pedroso?

— Ela viu o senhor chegar.

— Sou o delegado Espinosa e este é o inspetor Welber. Pode nos acompanhar até o quarto onde se deu o crime?

— Claro, mas preciso entrar?

— Não, nem deve.

Após subir as escadas, Espinosa calçou luvas e sapatilhas de plástico transparente.

— Welber, vou entrar sozinho. Esperem aqui do lado de fora.

As duas moças, que tinham pouco mais de vinte anos, estavam seminuas e amordaçadas. Os braços estavam amarrados com cordas às costas, e as pernas, presas pelos tornozelos. Ambas tinham o pescoço quebrado.

— O que o senhor está achando? — perguntou Welber, da porta.

— Diga o que *você* está achando — devolveu Espinosa.

— Que isso pode ter sido obra de duas pessoas.

— Pensei nisso também. Os dedos quebrados mais as contusões seguidas de enforcamento sugerem tortura para que confessassem alguma coisa que somente elas saberiam, e um homem sozinho dificilmente conseguiria imobilizar e em seguida matar as duas sem que ele mesmo ou elas fizessem barulho. Já ligou para a Divisão de Homicídios?

— Já. O trânsito está lento na Barra da Tijuca. Devem demorar pelo menos uma hora.

Espinosa chamou o gerente para trancar o quarto.

— Até a perícia chegar, prefiro que deixe a chave comigo. Tem alguma cópia dela guardada?

— Tenho — Pedroso disse. — Está no cofre do hotel, com as cópias das outras chaves.

— E onde fica o cofre?

— No meu quarto.

— E a chave da escada dos fundos?

— Não tem chave, delegado, só uma tranca de ferro do lado de dentro.

— Pode nos levar lá, por favor?

— Claro. Por aqui.

Os três seguiram pelo corredor do segundo piso até o final, onde havia uma porta que estava fechada, mas não trancada. Nela estava escrito em tinta vermelha: "Saída de emergência" e "Exit". Segundo Pedroso, a vistoria do Corpo de Bombeiros obrigava que a porta permanecesse destrancada. Espinosa a abriu e deu com uma escada interna iluminada por duas lâmpadas, uma em cada extremidade.

De volta à recepção, ele perguntou a Pedroso desde quando as moças estavam hospedadas ali.

— Tem mais de seis meses, delegado, talvez oito. Posso ver no livro de registros.

— Não se preocupe com isso agora. Elas são irmãs?

— Acho que são primas.

— Colegas de trabalho?

— Creio que sim.

— O senhor tem o endereço de onde trabalhavam?

— Sinto muito, delegado, mas não tenho o endereço. Elas trabalhavam na... é... na...

— Na rua? — completou o delegado.

— Acho que sim, mas não posso garantir. O fato é que nunca entraram aqui acompanhadas de homem nenhum. É proibido trazer acompanhantes para dormir.

— E para conversar?

— Também. O senhor viu como são as paredes divisórias.

— E amigas? Elas traziam?

— Não. Mas elas têm uma amiga que também é hóspede.

— Essa amiga continua hospedada aqui?

— Continua. Saiu pouco antes do senhor chegar. O nome dela é Rita.

— Ela não tem celular?

— Acho que tem. Vou verificar no registro.

Pedroso anotou o número num pedaço de papel e entregou a Espinosa.

— Aqui está.

O delegado se afastou e foi até a calçada. O telefone chamou várias vezes até ser atendido por uma voz jovem e contida.

— Rita?

— Quem deseja?

— Você é a Rita?

Silêncio.

— Você é a Rita?

— Quem é?

— Sou o delegado Espinosa, da 12ª DP. Onde você está?

— Na 12ª DP.

— O que está fazendo aí?

— Estou esperando pelo senhor.

— Por quê?

— Vi algo horrível.

— Suas amigas?

— Sim...

— Você está sentada na sala de espera?

— Estou.

— Passe o telefone para a atendente. Vou pedir a ela para levar você ao meu gabinete e colocar um inspetor na porta. Chego em poucos minutos. Não fale com ninguém. Não telefone para ninguém. Não saia.

Espinosa desligou e voltou a se dirigir ao gerente do hotel.

— Não entrou nenhum homem desconhecido hoje cedo?

— Não que eu tenha visto. Eu e minha mulher estávamos ocupados com o café da manhã dos hóspedes.

— A porta da frente fica aberta durante o dia?

— Desde as seis da manhã, mas eu fico no balcão de entrada.

— Mas entre as seis e oito da manhã, digamos, o senhor fica ocupado com o café?

— Isso mesmo, delegado. Em seguida vou para a recepção e fico lá praticamente o dia todo.

— Praticamente...

— É. Saio às vezes para resolver algum problema elétrico ou hidráulico, ou para ir ao banheiro.

— Mas isso que aconteceu hoje de manhã, duas jovens mortas por enforcamento, o senhor não viu nem ouviu?

— Infelizmente não, delegado.

— Bom, dentro de alguns minutos deve chegar uma equipe da Divisão de Homicídios com inspetores e peritos criminais. Eles assumirão o caso daqui em diante, talvez contando com nossa parceria. Volto depois para falar com eles. Obrigado pela ajuda.

Espinosa desceu a ladeira sem muita pressa, sabendo que a moça estava bem protegida dentro do seu gabinete. Não entendia como nem por que ela fora procurar por ele. Assim que entrou na delegacia, a recepcionista apontou para o segundo andar. Espinosa subiu a escada e viu o inspetor Ramiro plantado feito uma sentinela.

— Tudo bem?

— Tudo certo, delegado. A moça está aí dentro. Parece assustada.

— Se ela viu o mesmo que eu vi, deve estar mesmo.

Assim que abriu a porta, Espinosa viu uma jovem de vinte e poucos anos encolhida na poltrona. Ela se sobressaltou com a entrada silenciosa que ele fez.

— Não precisa ficar assustada, Rita. Sou o delegado Espinosa. Quer um copo d'água? Café? Não temos muita coisa para oferecer aqui na delegacia.

— Não precisa, obrigada.

— Por que veio procurar por mim especificamente?

— Meu namorado disse que eu devia procurar o senhor se precisasse.

— E quem é seu namorado?

— O Ratto. Ele contou que vocês se conhecem da 1ª DP.

— E onde ele está?

— Honestamente, nem sei se o Ratto ainda está vivo.

— Como não sabe?

— Ele pode muito bem estar morto.

— E quem teria matado?

— O mesmo homem que matou minhas duas amigas.

— Como você sabe quem matou suas amigas?

— Passei por ele quando estava descendo a ladeira.

— Você sabe o nome desse homem?

— Wallace. É um policial.

— Um policial...?

— Militar.

— Me conte o que você sabe.

— Acho que Ratto foi assassinado por esse policial chamado Wallace, que controlava várias prostitutas da Lapa. Ele estava interessado no dinheiro de Ratto e do sócio dele,

Japa, não sei se o senhor conhece. Quem me apresentou a Ratto foram Silvia e Sueli, as mulheres assassinadas.

— Você viu esse Wallace matar as duas?

— Não, mas também encontrei uma prostituta chamada Morena que foi morta por Wallace. Me disseram que era a preferida dele. Estava com o pescoço quebrado, sentada num vaso sanitário. Outro dia, na Lapa, me vi frente a frente com Japa. Se Japa está vivo, talvez Ratto também esteja. Acho que não era eu que Wallace estava procurando hoje. Era Ratto.

— E por que acha isso?

— Acho que a morte de Silvia e Sueli foi um aviso do Wallace para Ratto, como quem diz "Ou você aparece ou vou fazer o mesmo com sua namoradinha".

— Então a primeira coisa que você tem a fazer é desaparecer.

— Delegado, mais escondida do que eu estava até agora, naquele hotelzinho da ladeira dos Tabajaras, é impossível. A menos que eu saia da cidade. Mas não tenho para onde ir. Não conheço ninguém fora da Lapa e de Copacabana.

— Você não pode continuar morando naquele lugar.

— Mas tudo o que tenho está lá.

— Onde?

— No hotel.

— Sim, mas onde? Em que lugar do hotel?

— Dentro de uma mala, debaixo da minha cama.

Espinosa tirou o fone do gancho e apertou um botão.

— Welber, venha até o meu gabinete.

Ouviram-se duas batidinhas na porta e o inspetor entrou.

— Welber, quero que vá até o hotel da ladeira dos Tabajaras e traga uma mala que está debaixo da cama desta moça. — Ele se virou para Rita. — Você tem algo mais espalhado pelo quarto? Bijuteria? Perfumaria?

— Não — Rita disse. — Tudo o que tenho está dentro da mala.

— A chave do quarto está com você?

Rita tirou uma chave pendurada em uma corrente prateada no pescoço e a entregou a Espinosa, que a passou a Welber.

— Vá sozinho. Veja se consegue colocar a mala no carro sem perceberem e venha para cá. Pare na entrada de carros para nos pegar. Avise pelo celular quando estiver de volta. Caso o gerente do hotel pergunte alguma coisa, diga apenas que você recebeu ordens para pegar a mala dela e devolver a chave do quarto.

Welber saiu.

— Vamos combinar uma coisa — Espinosa disse —: você é minha sobrinha, seu nome é Maria Júlia, e você veio do Espírito Santo passar umas semanas comigo. O prédio onde eu moro é muito tranquilo e tem poucos moradores, mas, se alguém perguntar alguma coisa, diga isso que acabei de dizer. Não conte nada para ninguém. Sua sobrevivência pode depender desse silêncio. Só preciso saber se seu nome é realmente Rita e qual é sua idade.

— Meu nome é Rita, tenho vinte e um anos e não sou uma moça de família.

Welber embicou o carro na entrada em arco da delegacia, mas não entrou, apenas abriu a porta da frente para o delegado e a porta traseira para Rita. Ela deslizou pelo banco e ficou deitada ali, enquanto Espinosa assumia o assento do carona. Welber saiu de ré e seguiu meia quadra até a Barata Ribeiro, onde pegou a direita e, duas quadras depois, a direita de novo, seguindo reto até a praça central do bairro Peixoto.

— Contorne a praça devagar — Espinosa disse —, como se estivesse procurando um número. Quando completar a volta, pare em frente ao meu prédio, tire a mala e a deixe no hall. Eu a levo para cima. Volte para a delegacia, libere o carro e não comente com ninguém o que fizemos, com exceção de Ramiro. Faça um resumo para ele de tudo o que aconteceu hoje de manhã. A partir de agora, o nome desta moça é Maria Júlia.

Espinosa mostrou o apartamento e onde guardava tudo, incluindo utensílios, alimentos, roupas de cama e banho. Também falou sobre os vizinhos de andar e o encarregado da limpeza e da manutenção do prédio.

— Você vai dormir no quarto do meu filho. Ele está nos Estados Unidos. Pode abrir as venezianas da sala para circular o ar e iluminar o interior, mas sugiro que não se exponha nas janelas que dão para a praça, pelo menos nos próximos dias. Não atenda telefonemas. Se eu precisar falar com você, ligo para o celular que vou deixar em cima da mesa da sala. Pode usar o mesmo aparelho se precisar falar comigo. Se ficar tentada a sair, lembre que está sendo procurada por um policial truculento que não teme matar com extrema violência quem atrapalha seus planos. Você já viu como ele age. Não se ofereça como próxima vítima. Qualquer coisa que pareça ameaça, ligue imediatamente para mim.

Da banda da janela francesa aberta pelo delegado, Rita o viu sair do prédio, atravessar a rua e cruzar a praça na direção da delegacia. Em nenhum momento ele olhou para trás. Ela se afastou da janela e ficou de pé no centro da sala, observando os livros formando uma fileira que cobria toda a extensão da parede e apoiados uns sobre os outros, ocupando de ponta a ponta e do chão até quase o teto toda a parede da sala.

Homem estranho esse delegado, pensou Rita. Ela nunca vira nem ouvira falar de um policial que tivesse tantos livros; nunca vira tantos livros sem estante. Certamente não seria por economia de madeira, só podia ser por esquisitice mesmo. O resto da sala era mobiliado com sofá e poltronas confortáveis, mesa e poltrona com abajur de pé. Ela já tinha visto aquilo nas vitrinas das lojas de móveis, mas nunca havia estado em um ambiente semelhante. Talvez não conseguisse viver num lugar tão estranho, tão amplo e com tanto conforto. Muito menos sozinha, como parecia ser o caso do delegado Espinosa. Ela experimentou o sofá e depois a poltrona de leitura, então voltou para o sofá. Foi à cozinha e ao banheiro, depois ao quarto do filho do delegado. Abriu a mala e pegou o uniforme da escola e a nécessaire. Tomou banho, vestiu-se, transferiu algumas peças da mala para a mochila e contou o dinheiro que tinha.

Fechou a janela da sala, saiu, bateu a porta e verificou se a porta tinha trancado automaticamente, então pendurou a chave da casa do delegado no pescoço e foi embora.

Tomou a mesma direção de Espinosa, mas, em vez de atravessar a rua, continuou pela mesma calçada e contornou a praça até se encontrar novamente em frente ao prédio. Parou, como se tivesse esquecido alguma coisa, examinou a mochila enquanto olhava se alguém acompanhara sua saída e seu retorno, e tornou a entrar. Ninguém a seguira. Com exceção de algumas babás com crianças pequenas e dos poucos funcionários da limpeza urbana, a praça estava vazia. De que adiantava ficar encastelada como uma prisioneira de luxo enquanto procuravam Wallace? Tinha que dizer ao delegado Espinosa que o melhor caminho para chegar ao policial era através de Japa. Ela poderia mostrar onde ele morava com a irmã, onde costumava beber. Cruzou a praça em direção à estação do metrô, que ficava a apenas uma quadra de distância. Dentro do vagão lotado, sentia-se mais segura do que no apartamento do delegado, onde não se sentia em casa.

No fim da tarde, Espinosa recebeu uma ligação do delegado Rodrigues, da Divisão de Homicídios, que ele conhecia da época da faculdade de direito.

— Temos uns dados preliminares que podemos passar para vocês. Apesar da violência e da extensão do ataque sofrido pelas duas mulheres, tudo indica ter sido obra de uma única pessoa, certamente um homem, forte o bastante para dominar, amarrar e amordaçar as duas antes que pudessem gritar e sem que batessem o corpo contra a divisória de madeira, fazendo barulho e chamando atenção dos hóspedes ou dos funcionários do hotel. A análise dos resíduos colhidos nos corpos, na cama e no chão aponta para uma única fonte. O agressor entrou no quarto pela porta e não se movimentou muito. Os ferimentos não foram mortais, mas certamente dolorosos, e foram feitos alternadamente em cada uma das vítimas, provavelmente acompanhados de perguntas cujas respostas só poderiam ser sim ou não, já que elas estavam amordaçadas. Ele quebrou todos os dedos da mão delas. Então quebrou o pescoço das duas e saiu pela porta. Não há indício de ter se aproximado da janela. Também não viu ou não se interessou pelas malas guardadas debaixo da cama. Não entrou no quarto para roubar, mas para matar. Não há sinal de violência sexual. A autópsia e os exames químicos poderão oferecer mais dados. Vamos voltar amanhã para interrogar alguns hóspedes que já tinham saído quando chegamos. Creio que estaremos lá por volta das dez, se o trânsito permitir. Telefono para você.

Espinosa agradeceu e desligou. Na volta para casa, passou no árabe da Galeria Menescal e levou quibe e esfirra para o jantar.

Encontrou o apartamento às escuras e o celular em cima da mesa, desligado. Rita dormia encolhida na poltrona da sala. Espinosa ligou só o abajur para não a assustar. Com calma, examinou o apartamento. Não havia sinal de alguém mais ter estado lá. Somente então acendeu a luz da sala. Rita acordou sem susto, mas atenta.

— Delegado... desculpe, acho que dormi um pouco.

— Acho que fica mais fácil você me chamar de Espinosa. Pode dormir na hora que der vontade e no lugar que achar mais confortável. Eu trouxe o jantar.

Pouco à vontade nos primeiros minutos, Rita se mostrou mais disposta a falar sobre ela mesma no decorrer da refeição — contou sobre como conheceu Ratto e o pouco de convivência que teve com ele.

— É um homem maravilhoso — disse ela em voz baixa. Então ficou em silêncio, como se aquela frase bastasse para expressar tudo o que sentia. — Delegado, posso fazer uma pergunta?

— Claro.

Rita olhou ao redor.

— Você mora sozinho neste apartamento?

— Sim e não. Passo a maior parte dos dias e das noites só, mas, como mencionei, tenho um filho. Ele mora em Washington, e costuma passar um mês por ano aqui no Rio.

— O que ele faz da vida?

— É arquiteto.

Rita olhou imediatamente para os livros empilhados.

— Não — Espinosa riu. — Não foi ele quem inventou essa estante. Fui eu mesmo. Julio já se ofereceu para projetar uma estante de verdade. Um dia eu aceito a oferta.

— Um mês por ano... e nos outros meses você fica sozinho.

— Tenho uma namorada. Ela mora em Ipanema. Passamos

um fim de semana lá e outro aqui. Durante a semana às vezes dormimos juntos, quase sempre aqui. É mais relaxado.

Rita murmurou qualquer coisa e eles ficaram um tempo em silêncio. Então ela deu a notícia.

— Fui hoje ao apartamento do Japa.

Espinosa largou o talher sobre o prato e perguntou o que ela teria feito caso a porta se abrisse e Wallace estivesse lá. Rita tentou argumentar, mas o delegado não deixou:

— Antes ele iria querer saber quem é você. Então você diria que é uma estudante voltando do curso, que entrou por engano naquele edifício. Wallace então perguntaria se você já tinha jantado, se queria comer alguma coisa, se gostaria que ele te acompanhasse até sua casa...

— Não sou boba...

— Você pode ser inteligente, mas isso não basta.

— Vai me mandar embora?

— Embora de onde? Daqui de casa? Wallace está mais próximo de você do que pode parecer. Procure entender o que está se passando. Eu não trouxe você para cá para mostrar meu apartamento e fazermos um lanche. Fiz isso porque sua vida corre risco. Agora, termine seu jantar e decida o que prefere fazer: se jogar nas garras do Wallace ou encontrar Ratto.

— Desculpe, eu não devia ter saído.

— Eu não disse para você não sair. Disse para não se afastar muito do prédio, o que incluía não voltar ao hotel. Mas nem passou pela minha cabeça que você fosse pegar o metrô e ir até a Lapa para tocar a campainha do apartamento de Japa. Quem quer que abrisse a porta poderia ter matado você:

Japa, a irmã dele, Wallace ou alguém que ele tivesse deixado lá de vigia.

Rita permaneceu imóvel olhando para o centro da mesa. Não tentou justificar sua aventura nem pedir desculpa novamente. Permaneceu em silêncio até Espinosa retomar a palavra.

— Agora me diga o que pretendia fazer caso alguém abrisse aquela porta.

— Não sei. Não pensei nisso. Eu só queria saber se Ratto estava lá, preso, ferido, sem poder se movimentar.

— Por que acha que ele está lá?

— Não acho, só gostaria que estivesse.

Sua voz era firme, e seu olhar agora estava voltado para Espinosa.

— Está bem — ele disse. — Mas tire da cabeça a ideia de que Ratto está preso naquele apartamento. Nem Wallace nem Japa seriam imprudentes a ponto de esconder Ratto, vivo ou morto. Mas poderiam muito bem usar você como isca para atrair Ratto, caso ainda esteja vivo. Amanhã tenho um almoço com o delegado da Homicídios. Vou ver se há alguma informação confiável ou mesmo qualquer boato sobre Ratto, Japa ou Wallace. Podemos colher alguma informação através do assassinato de Morena, Silvia e Sueli, se é que já ligaram as três mortes. Alguma dúvida?

— Não.

— Então boa noite — Espinosa disse. — Durma bem.

# 6.

No dia seguinte, Espinosa apareceu no hotel da ladeira dos Tabajaras acompanhado de Ramiro, Welber e do delegado Rodrigues, da Homicídios. Pedroso surgiu em seguida. Foram todos para o segundo andar inspecionar a escada no final do corredor.

— Tem certeza de que essas duas portas, a de lá de baixo e esta aqui em cima, são apenas saídas de emergência? — perguntou Rodrigues ao gerente do hotel. — A do térreo não serviria também como entrada?

— Delegado, o senhor não viu a barra de ferro na porta?

— Vi, claro. Mas vi também que ela pode ser retirada e encostada junto à parede por alguém do lado de dentro.

— Ora, doutor, quem faria uma coisa dessas?

— É uma boa pergunta. Caso não haja resposta para ela, temos que admitir, provisoriamente, que ninguém subiu por aquela escada. Nesse caso, o assassino entrou pela portaria. Ou já estava aqui dentro.

— Deus me livre, seu delegado. Aqui só tem gente de

bem. Todos os funcionários são conhecidos e estão conosco desde que eu e minha mulher abrimos o hotel.

— Então o assassino veio pela porta da frente, passou pelo balcão de atendimento, subiu a escada e entrou no quarto das moças sem que precisasse perguntar a ninguém qual era o número. Em seguida, torturou e estrangulou brutalmente as duas e passou pela portaria ao sair, assobiando de satisfação.

Pedroso olhava para eles sem saber se Rodrigues estava ironizando ou falando sério. Desceram todos para o primeiro piso. O dono do hotel aproveitou o momento e se afastou timidamente em direção à cozinha. Espinosa foi até ele.

— Senhor Pedroso, um minuto, por favor.

— Claro, delegado.

— Quando o senhor cuida de seus afazeres, quem fica na portaria?

— É o Francisco, um dos meus empregados mais antigos.

— Ele está?

— Não. Foi ao supermercado comprar material de limpeza. Não deve demorar.

— Vou almoçar com o delegado Rodrigues. Na volta, queremos falar com ele.

— Claro, ele estará à sua espera.

Espinosa levou Rodrigues à Trattoria com a desculpa de que precisavam conversar sobre alguns detalhes. Escolheram uma mesa perto da janela e ficaram observando a movimentação na rua enquanto os pedidos não vinham.

— Você tinha alguma coisa para me contar — disse Rodrigues.

— Na verdade, é mais uma pergunta. Por acaso vocês da Homicídios estão investigando o caso de uma prostituta que foi encontrada no banheiro de um apartamento conjugado na Lapa?

— Puta que pariu — Rodrigues disse, tapando a boca com a mão. — Só falta você me dizer que sabe quem fez isso.

— Aí é que está o problema. Posso até te dar um nome, mas não posso garantir que seja o assassino.

Espinosa contou a história de Ratto, Japa, Zilda, Wallace e Morena. Não mencionou Rita. Preferiu comentar como aqueles personagens se entrelaçavam e construíam uma história que poderia terminar com todos eles mortos.

# 7.

Zilda abriu a porta no terceiro toque, e Wallace a encarou como quem se apieda de um cão sem dono. Antevendo o que lhe esperava, ela tentou fugir para dentro do apartamento, mas o policial segurou seu braço, bateu a porta e a empurrou no sofá.

— Vamos brincar um pouquinho. Um jogo divertido. Preciso fazer umas perguntas, mas só vale falar a verdade. Cada vez que mentir vai sofrer um castigo. A brincadeira só termina quando eu tiver todas as respostas.

— E se eu não souber a resposta?

— Fica como se fosse mentira. E a cada mentira, já sabe: um castigo. Primeira pergunta: qual é seu verdadeiro nome?

— Zilda.

Wallace lhe deu um tapa na cara.

— Eu disse o verdadeiro. E completo.

— Maria Zilda do Socorro — choramingou.

— O que você é do Japa?

— Irmã de leite.

— Que merda é essa?

— Nascemos no mesmo dia e nossas mães eram amigas. A mãe dele não tinha leite, então a minha amamentou nós dois. Quando crescemos, ele prometeu à minha mãe que cuidaria de mim.

— Estou quase chorando — disse Wallace, rindo. — Bom, desta vez não vou bater em você. Mas então quer dizer que vocês não são irmãos merda nenhuma, só mamaram no mesmo peito. Por isso que um tem cara de japonês e a outra parece uma porra de uma múmia. Com que idade vocês vieram para o Rio de Janeiro?

Zilda secou as lágrimas e disse:

— Treze. Fomos para a Casa de Apoio da Criança. Ficamos lá até os quinze, quando saímos para ganhar dinheiro e completar o curso secundário à noite. Ele queria fazer vestibular para direito e eu, para enfermagem.

— Quem ajudou vocês?

— Ninguém. Nós ajudamos um ao outro. É assim até hoje.

— Quem controla a despesa da casa?

— Ele.

— E o que o filho da puta faz com o dinheiro que ganha?

— Não sei. Ele não me diz.

Wallace deu um soco na cara de Zilda. Ela caiu no chão e ali permaneceu por algum tempo até recuperar os movimentos e a fala. Quando conseguiu ficar sentada, enxugou com a saia o sangue que escorria do nariz e da boca.

— Por que você está fazendo isso comigo?

Wallace deu um chute nela.

— Isto é para você entender que eu faço as perguntas

e você responde. Irmã de leite ou irmã de sangue, só havia você para cuidar das tretas do Japa. Sobretudo as financeiras.

Ele fez uma pausa e sentou no outro lado do sofá. Puxou o revólver do cós da calça, tirou duas balas do bolso e mostrou a Zilda.

— Vamos mudar um pouco. Agora eu ponho duas balas no tambor, uma distante da outra, dou um giro, encosto o cano na têmpora e aperto o gatilho. Se tiver caído na bala, eu morro. Nesse caso, você pode pegar a arma caída, encostar no meu coração e apertar o gatilho até a segunda bala. Então morro duas vezes. Mas, se não cair na bala, eu passo a arma para você e então será sua vez. O nome disso é roleta-russa. Mas também podemos alterar as regras do jogo. Vamos supor que cada um já fez duas tentativas e a arma não disparou. Posso lhe dar a oportunidade de sair viva com a condição de me entregar o dinheiro do Japa. É viver ou morrer.

Espinosa e Rodrigues foram ao prédio de Zilda na tarde do dia seguinte. Tocaram a campainha repetidas vezes, mas ninguém respondeu. Espinosa girou a maçaneta e a porta abriu com um clique surdo. Havia certa desarrumação, mas nada que causasse estranheza imediata. No quarto, deitada na cama, uma mulher com sapatos, vestido e casaco, como se fosse sair. Provavelmente morrera com um tiro dado com o revólver jogado próximo ao corpo.

Pelo que sabia de Japa, Espinosa enxergava mais um alcoólatra do que um criminoso. O quadro que tinha na sua frente não era o da cena final de uma brincadeira de crianças. Um revólver de calibre leve, que tudo indicava não se tratar da arma do crime. O delegado Rodrigues era capaz de apostar que o tiro fora dado por um trinta e oito, não aquele trinta e dois.

Enquanto esperava a chegada dos peritos, Espinosa circulou pelo apartamento à procura de alguma coisa que ele mesmo não sabia o que era. Exausto, parou na sala e se sentou em frente a Rodrigues.

— Então? Encontrou alguma coisa?

— Não exatamente — Espinosa disse. — O importante não foi o que encontrei, mas o que não encontrei. Sabemos que esse Japa é um alcoólatra que passa boa parte do dia bêbado. No entanto, não vi nenhuma garrafa de bebida em todo o apartamento; também não encontrei garrafas vazias nos depósitos de lixo.

— E...?

— Japa não mora aqui. Talvez só venha para deixar dinheiro e receber recados. Acho que podemos conseguir alguma coisa mais substancial perguntando aos moradores do prédio.

A busca resultou em pouca coisa. Quase nenhum morador ficava em casa durante o dia, e os poucos que ficavam não demonstraram nenhuma boa vontade em falar com policiais. O resultado mais imediato da perícia foi a confirmação de que a morte de Zilda, como Rodrigues suspeitava, fora causada por um trinta e oito encostado na têmpora.

De volta ao seu apartamento, Espinosa encontrou Rita sentada no pequeno sofá de leitura, sob a luz do abajur. Ela não sabia que horas eram nem quanto tempo fazia que estava encaixada naquela poltrona cercada de almofadas e livros. Pegara alguns deles em função do título ou da capa, lera a primeira página e trocara por outro, repetindo o mesmo critério. Parou no quarto, quando ouviu o toque triplo da campainha combinado com Espinosa e em seguida a chave na porta. Ficou imóvel na posição em que estava, um pouco mais encolhida, escondendo parte do rosto com o livro.

Espinosa entrou, acendeu a luz do teto e ficou alguns segundos apreciando a cena.

— Desculpa estar sentada na sua poltrona lendo seus livros.

— Você não tem que pedir desculpa por nenhuma das duas coisas. Eu já disse que você pode usar o apartamento como se fosse seu. Escolheu ler, talvez a melhor escolha, a menos que esteja com fome. A poltrona e o livro, provavelmente seriam minhas escolhas também. Temos gostos parecidos.

Rita sorriu.

— Preciso te fazer uma pergunta — Espinosa disse. — Como era sua relação com Zilda?

— A pior possível. Por quê?

— Ela morreu há algumas horas. É provável que tenha sido Wallace.

Rita ficou muda.

— Parece que ele não gosta de gente da Lapa — Espinosa

prosseguiu. — Das pessoas que está procurando sobraram você, Japa e Ratto, sendo que você pode servir de isca para pegar Ratto. Nosso campo de ação ficou reduzido a Cinelândia, Lapa e Copacabana.

— E agora?

— Agora vamos cuidar do jantar. Trouxe pão, presunto. E *Apfelstrudel*.

Rita olhou para Espinosa com cara de interrogação.

— Torta de maçã — ele disse.

Comeram em silêncio. Quando terminaram, Espinosa retirou os pratos e se aproximou de Rita, que já havia voltado à poltrona de leitura.

— Amanhã Irene e eu vamos jantar juntos. Gostaria de ir conosco?

Rita fechou o livro.

— Não tenho roupa para ir a restaurantes.

— Não tem um jeans?

— Tenho, mas...

— Não importa quão velho seja. Se tiver um par de tênis que ainda não esteja com a sola furada, uma camiseta e uma jaqueta, está resolvido o problema. O restaurante é simples, mas de bom gosto e agradável. Não precisa ir se não quiser, mas seria legal.

Rita sorriu.

— Eu quero.

O dia seguinte foi dividido em duas partes: na primeira, Rita correu pela praia para se exercitar; depois do almoço, ocupou-se com o trabalho de escolher a roupa a ser usada no jantar com Espinosa e Irene, que ela não conhecia, mas que ele havia descrito como bonita, atraente, elegante e inteligente. Era muita coisa para uma mulher só.

O jantar transcorreu sem maiores complicações. Irene de fato era tudo aquilo, e se interessou bastante pelas aventuras de Rita.

— Com vinte e um anos eu acho que nem sabia alguma coisa da vida, que dirá me meter com polícia e delegados. Ainda mais esse aqui.

— O que você quer dizer com isso?

— Nada, querido. Coisas que só as mulheres entendem.

Irene piscou e Rita sorriu. Quando terminaram de comer, Espinosa deixou Rita no bairro Peixoto.

— Vou dormir com Irene, mas Welber e Ramiro vão ficar de vigia. Fique tranquila.

Ele fechou a porta e desceu as escadas. Os inspetores estavam na portaria.

— Wallace está à solta por aí — Espinosa disse a Ramiro. — Morena, Zilda, Silvia e Sueli: ele já matou todas elas. Rita é a última mulher. Acredito que não vai demorar muito para vir buscá-la.

— Acha que ele vai tentar fazer isso esta noite?

— É possível, mas não muito provável. Wallace certamente já descobriu que ela está por aqui, mas não está interessado em matar qualquer um de nós. O que ele quer é capturar Rita para atrair Ratto e descobrir onde o resto do dinheiro está escondido.

Desde que trocara o uniforme laranja da Comlurb pelo cinza da Light, Ratto adquirira o poder de ficar invisível ao olhar dos passantes. Durante todo aquele tempo, apavorado, alugara um quartinho numa pensão e se dedicara a seguir Rita de longe. Quando soubera dos assassinatos de Silvia e Sueli, pensara em parar de se esconder e acabar com aquilo tudo, mas desistira quando se aproximara da ladeira e vira Espinosa e outro delegado, provavelmente da Homicídios, assumindo o caso. Aquilo o deixava mais tranquilo quanto à segurança de Rita, embora soubesse que um homem como Wallace não mediria esforços para atingir seus objetivos.

Um dia, ele acordou decidido a ser um homem *de facto* e procurar Espinosa. Escolheu um banquinho na frente da 12ª DP e esperou. O uniforme da Light e a bolsa de ferramentas o protegiam de perguntas inconvenientes. Não demorou muito para o delegado aparecer no arco de entrada e se encaminhar em direção ao ponto em que Ratto permanecia semiescondido. Para sua surpresa, ele passou direto.

Espinosa permaneceu a tarde inteira enfiado em tarefas burocráticas. Quando saiu da delegacia, pegou algumas esfirras na Galeria Menescal e tomou o rumo de casa. No meio do caminho, percebeu uma figura baixinha no seu encalço, mas não fez nada. Deixou-se seguir até entrar no bairro Peixoto e avistar Welber em um dos bancos da praça.

Foi Ramiro quem chegou discretamente e obrigou Ratto a sair de trás do carro.

— Calma — Espinosa disse. — É só um velho conhecido.

Ratto ficou sob a luz do poste.

— Então quer dizer que você agora é funcionário da Light? É uma mudança digna de elogio, Ratto. Parabéns.

— Delegado, não é bem...

— Aprecio sua inteligência, mas não consegui entender por que preferiu me seguir a falar comigo na delegacia. O que queria, afinal?

— Me certificar de que o Wallace não tinha chegado antes de mim ou do senhor.

— E por que ou para que o Wallace chegaria ao meu apartamento antes de você ou de mim?

— Para pegar Rita.

— E quem é Rita?

— A moça que está escondida no seu apartamento.

Espinosa hesitou e então disse:

— Sugiro aproveitarmos essa ocasião para que você conte toda a história. O inspetor Welber poderá gravar nossa conversa, só para que eu não precise ficar anotando. Será uma conversa mesmo, e não um depoimento; o que você disser será usado apenas para me orientar na investigação do que o Wallace fez e do que pretende fazer daqui para a frente. Pode ser?

— Pode.

Welber se aproximou e ligou o gravador. Quando Ratto acabou, aliviado, Espinosa se levantou e disse:

— A partir de agora, o jogo pode ser de paciência ou de ousadia.

— Já temos ousadia suficiente, delegado.

— Como assim?

— Rita é extremamente ousada. Foi ela quem descobriu o corpo de Morena no banheiro de um apartamento onde nunca tinha estado. Ela também foi sozinha ao apartamento de Zilda tentando descobrir o que Wallace tinha feito comigo e com Japa. Ela fugiu de onde está escondida para fazer uma incursão em pleno terreno inimigo. Agora mesmo, cercada e protegida por todos nós, eu não seria capaz de garantir que está dentro do seu apartamento.

Os três se voltaram em sincronia para o prédio do delegado, acompanhando o movimento de Ratto e esperando algum sinal da presença de Rita. Nenhuma janela se moveu, nenhuma lâmpada foi acesa, nenhum som de voz foi ouvido. Decidiram subir juntos.

Rita estava na poltrona, lendo no lusco-fusco. Quando Espinosa abriu a porta, ela fechou o livro e abriu um sorriso imenso ao ver Ratto sair de trás do delegado.

— Acho que finalmente podemos ficar juntos — ele disse.

# 8.

A pensão era um prédio estreito de três pavimentos, construído na década de 1950. Não tinha garagem subterrânea nem área externa para estacionamento. Na frente, havia apenas a porta de entrada com duas bandas, em jacarandá, e janelinhas de vidro bisotado. Em uma das laterais ficava um corredor externo que dava acesso direto à cozinha. A outra lateral era colada ao prédio vizinho. Apesar de pequena, a pensão não era feia e estava bem conservada. Para Ratto, era o lugar ideal: não incomodava o delegado Espinosa com hóspedes circulando entre os livros e era suficientemente perto caso ele tivesse que socorrê-los.

Os dois acordaram com o ruído da bandeja de café da manhã esbarrando propositalmente na porta. O desjejum era simples e consistia em dois bules, um com café e outro com leite, três pães, manteiga, açúcar e uma garrafa com água filtrada. Depois de tomar banho, saíram para refazer o guarda-roupa de Rita. Ratto achava que aquelas vestes já tinham estado em evidência por tempo demais. Se ela queria ser que nem ele, ou seja, uma sobrevivente, precisaria ficar incógnita.

Quando voltaram para o quarto, Rita se atirou na cama e começou a chorar.

— Sinto a presença de Wallace o tempo todo.

— Isso é paranoia sua. Se ele quisesse, já teria pegado você.

— E por que não pegou?

— Porque você e eu somos apenas uma desculpa para uma coisa muito maior.

— Tipo?

— Dinheiro.

— Dinheiro?

— Lógico. Virou uma questão de honra. Para pessoas como Wallace, isso é muito importante. Ele achou que poderia me chantagear. Como não conseguiu, agora vai até o fim.

— E Japa, o que acha que aconteceu com ele?

— Não sei. Ele não tem mais importância para Wallace. É provável que tenha ficado com uma pequena parte do dinheiro, o suficiente para beber até o fim da vida.

Rita ficou quieta.

A cabeceira da cama de casal ficava junto à janela, enquanto os pés ficavam voltados para a porta do quarto. Apesar de o dia ter sido tranquilo, também fora pleno de lembranças e pensamentos desagradáveis voltados para Wallace. Até adormecer, Rita mantinha os olhos abertos e voltados para a fresta de luz debaixo da porta. Quando passava alguém pelo corredor, tudo escurecia.

Em uma das vezes, a sombra parou no meio da porta, de modo que foi perfeitamente possível para Rita distinguir os dois pés lado a lado até a pessoa seguir em frente. Ela custou a dormir e seu sono não foi contínuo. Levantou-se da cama várias vezes para ir ao banheiro, mas o motivo mais forte era a necessidade de checar se havia sombras na soleira da porta ou algum ruído suspeito que a obrigasse a acordar Ratto. Quando o dia clareou, ele já estava com os olhos abertos.

— Bom dia, meu bem. Que cara é essa? Parece que viu fantasma.

— Não foi fantasma.

— Então o quê?

— As sombras.

— Que sombras?

— Nada. Delírio meu. Paranoia, como você disse. Vamos tomar café.

Ratto largou a bandeja em cima da cama e disse que iria até a Lapa descobrir se Wallace tinha sido visto. Rita fez menção de acompanhá-lo, mas ele recusou. Vestiu-se com a mesma roupa cinza e desceu até o metrô. Observando a movimentação nas plataformas e no vagão, constatou que não esperava encontrar Wallace, mas gostaria de percorrer os bares, sobretudo os mais antigos, para uma troca de palavras com garçons e antigos conhecidos. Sentia falta da vida de antes. Quando voltou, antes de escurecer, estava frustrado — se arriscara à toa, ninguém sabia de Wallace e muitos sequer o conheciam. Novos tempos, pensou. Saindo do metrô e entrando na pensão, lembrou o que Rita dissera antes do café. As sombras. Tentou desviar o pensamento, mas não conseguiu: ele era uma sombra. Ela era uma sombra. Wallace era uma sombra.

Encontrou Rita jogada na cama despertando de um cochilo.

— Sonhei com Silvia e Sueli.

Ele fez um carinho em seus cabelos.

— Isso vai passar. Ainda está muito recente.

Rita sentou na beira da cama.

— Conseguiu alguma informação sobre Wallace?

— Nada.

— Não consigo entender. O cara tem um metro e noventa, parece um armário, e ninguém vê? Que merda.

— Não é apenas pelas características físicas que ele vai ser pego, meu bem.

— O que está pensando em fazer?

— Honestamente? Comer. Vamos naquele bar que você gosta. Eu pago.

— A gente não está se expondo demais?

— Não é possível que você goste tanto assim da comida daqui.

Rita pulou da cama e botou uma roupa confortável. Saíram de braços dados, ele tentando se despreocupar, ela desesperada, olhando a torto e a direito com medo de Wallace aparecer. No bar, pediram macarrão com almôndegas. Queriam comer bem. De vez em quando, Ratto segurava a mão dela e a acariciava.

— Ficamos reduzidos ao quarto de uma pensão que não tem nem nome na fachada — Rita disse. — Não estou reclamando, é muito superior àquela espelunca da Tabajaras, além de ficar numa rua plana, e não numa ladeira, mas o que me preocupa é que vai nos custar um preço que não sei se posso pagar. Eu, pelo menos, tenho certeza que só poderei pagar a minha parte se voltar a fazer programa direito.

— Posso arcar com a despesa — Ratto disse —, independentemente de você ir para o calçadão.

— Não sei se eu aguento ficar fechada dentro desse quarto sem fazer nada.

Combinaram esperar uma semana sem se preocupar com dinheiro. Havia o suficiente para bem mais do que aquilo. Tentariam não pensar em Wallace, assim como evitariam comunicar ao delegado Espinosa o tédio de cada dia.

Passados três dias, Ratto precisou sair para consultar seus informantes a respeito dos boatos que corriam na Lapa e adjacências. Rita aproveitou para retomar as corridas na praia de Copacabana, pouco mais de duas quadras distante da pensão. O trajeto pela praia era o mesmo de quando morava no hotel, com a vantagem de não precisar subir e descer a ladeira. Ela deixava o short, a camiseta e a sandália na barraca do vendedor de coco na areia da praia, alternava corrida e caminhada até a pedra do Leme, dava meia-volta e ia até o Posto Seis, então retornava ao ponto de partida.

No quinto dia, sem nenhum motivo consciente, ela mudou o caminho do percurso de quase seis quilômetros, embora tivesse mantido a barraca do coco como ponto de partida. Enquanto falava com o vendedor, olhava lentamente para os lados. Naquele momento, não eram as sombras que a assustavam, mas as pessoas em pleno sol. Quando voltou à pensão, Ratto ainda não tinha chegado nem enviado uma mensagem. Tomou banho e deitou para descansar. Foi acordada por ele no meio da tarde.

— Você não almoçou?

— Ainda não. Que horas são?

— Quase três e meia.

— Merda. E você? Comeu?

— Também não.

— Vamos pegar um sanduíche. De noite a gente janta.

— Por mim, pode ser. Só preciso tomar um banho.

Ele começou a tirar a roupa. Rita abraçou um travesseiro e disse que queria procurar uma academia de ginástica nas redondezas.

— Por que diabos você quer uma academia?

— Antes de conhecer você eu fazia boxe tailandês. Essa paranoia toda pode desaparecer se eu descarregar minha energia.

— Boxe tailandês? Você já corre na praia.

— É diferente. A luta vai desenvolver meus músculos.

— E para que você precisa desenvolver os músculos?

— Todo mundo precisa ter força nos braços e nas pernas.

— Você alguma vez precisou se defender do ataque físico de um homem?

— Mais de uma vez. Acha que ser puta é coisa fácil?

— Certo, você venceu. Academia, farmácia e banco são as coisas mais fáceis de se encontrar em Copacabana. Se quiser, te acompanho nessa busca e compramos o sanduíche no caminho.

Rita pulou da cama e beijou sua boca.

Matricularam-na em uma academia simples e barata. Andando pela avenida Copacabana, os dois pareciam um casal do interior em plenas férias. O estranho era que, com o passar dos dias, o tempo de *férias* passara a ser percebido como tempo de espera — não pelo final da calmaria, mas por algo que não sabiam o que era, embora tivessem certeza de que não era bom. Ratto continuava saindo toda manhã para sondar a atmosfera da Lapa e da Cinelândia no que dizia respeito a Wallace e Japa. Sabia estar se arriscando, mas a alternativa — clausura na pensão — era bem pior. Rita alternava a ida à academia com a corrida na praia. À noite, trabalhava e nem sempre obtinha um bom dinheiro. Ratto sabia pela simples chegada de Rita ao quarto que os encontros, apesar de poucos, não eram o suficiente para barrar pequenas contaminações afetivas. E ela sabia que ele sabia. Ambos tinham certeza de que, com o tempo, seriam mais e mais afetados por aquela distopia de corpos. Naqueles finais de noite, a conversa e o amor eram substituídos pelo sono profundo.

Em uma manhã nublada, Ratto disse que tinha vontade de procurar o delegado Espinosa para uma conversa sobre o que seria mais conveniente para o futuro de ambos. Rita concordou. A chamada foi transferida imediatamente para o gabinete.

— Delegado Espinosa falando.

— É Ratto, delegado, Rita está aqui ao meu lado.

— Olá, Ratto, como vocês estão? Alguma notícia de Wallace?

— Estamos bem, delegado, plenamente recuperados desse pique-esconde.

— Não considere uma brincadeira. Algo me diz que ele deixou vocês escaparem propositalmente, porque estão ligados por um fio invisível que pode ser percorrido nos dois sentidos.

— Acha que...

— Tenho certeza. Não garanto que ele tenha sucesso com a estratégia, mas estou certo de que esse é o caminho que está tomando. Ele pode não ter uma mente brilhante, mas é persistente.

— E o senhor teve alguma notícia?

— Nada. Assim que descobrir algo, entro em contato. Continuem do jeito que estão.

Ratto desligou. Rita pulou na frente dele.

— Afinal, o que o delegado disse que te deixou preocupado?

— Ele acha que o Wallace sumiu de propósito...

— Mas isso é óbvio.

— ... pra gente pensar que há outro motivo.

— Como assim?

— Ele está controlando a gente. Sabe que vamos ficar paranoicos nessa espera maluca. O delegado mencionou um fio invisível. Mais ou menos como aquela história de João e Maria.

Rita fez uma careta.

— O raciocínio do delegado passa às vezes por caminhos complicados — Ratto disse —, mas uma hora os mortais chegam lá também.

— E estamos entre os mortais?

— Entre a maioria. Somos os sobreviventes.

— Parece que você e o delegado estão um pouco pessimistas.

— Nem tanto. Eu acabei de dizer que estamos entre os sobreviventes.

— Meu bem, o melhor que temos a fazer é desaparecermos do mapa. Vamos para São Paulo. Lá ninguém nos conhece, ninguém nos procura nem sabe nosso nome. Podemos fazer o mesmo tipo de vida que temos aqui.

— Pelo amor de Deus, seremos presos em uma semana. Não conhecemos ninguém, não conhecemos a cidade, não temos onde ficar ou a quem recorrer, e o delegado Espinosa estará a quinhentos quilômetros de distância. O melhor que podemos fazer é permanecer no Rio.

Rita decidiu que não ia esperar o dia seguinte para reiniciar sua peregrinação pelo asfalto. Naquela mesma noite comunicou a Ratto que ia para a avenida Atlântica. Logo que chegou ao ponto, concentrou-se em possíveis clientes que caminhavam distraidamente pelas calçadas e esqueceu a ideia de uma possível aproximação de Wallace. De súbito, era como se estivesse em uma posição confortável onde ninguém, nem mesmo um assassino, poderia lhe fazer mal.

Quando chegou de volta à pensão, Ratto estava dormindo.

O café da manhã foi silencioso. Despediram-se na saída da pensão e tomaram direções diferentes. Na academia, ela se concentrou nos exercícios e procurou não se distrair com lembranças dos vários momentos da noite anterior. Tinha sido uma bela jornada de trabalho, e aquilo era suficiente.

Assim que terminou, Rita foi até o vestiário, tomou uma chuveirada e trocou a roupa de ginástica pelo biquíni. Guardou tudo dentro da bolsa, vestiu uma camisa grande que ia até o joelho e saiu em direção à praia. Pulou para a areia na barraca de cocos, pediu para abrir um que estivesse gelado e deixou com o vendedor a bolsa com seus pertences. Em seguida, foi dar um mergulho. Sentiu a água tocar seus braços e pernas, os cabelos se encherem de sal e os olhos absorverem o calor do sol. Quando saiu, sacudindo os cabelos, viu junto à barraca uma figura tão alta quanto turva. Voltou para o mar e se misturou às mulheres e crianças que brincavam ali.

Wallace estava a alguns metros do vendedor de coco. Via as moças passando e sorria se gostava de alguma. Rita começou a tremer. Ou ele estava buscando alguém e em sua distração era incapaz de percebê-la ou, o que era mais provável, queria se fazer presente e marcar território como quem avisa que finalmente voltou.

Ela esperou um pouco e se afastou do ponto onde estava. Wallace coçou a cabeça, espichou os braços e deu meia-volta. Rita contornou uma família e foi andando devagar em direção à barraca de cocos para pegar sua bolsa. Em seguida, subiu para a calçada. Wallace desaparecera. Ela atravessou as pistas em direção aos prédios e apressou o passo para chegar à pensão.

Já no quarto, tentou entrar em contato com Ratto via celular. Ninguém atendeu.

Eram dez horas da manhã quando Rita ligou para o celular de Espinosa. Uma mensagem pedia para deixar recado. Ela então ligou para o número da delegacia. O delegado estava em reunião. Deixou recado dizendo que era Maria Júlia e pedindo que entrasse em contato o mais rápido possível. Espinosa telefonou quinze minutos depois.

— O que está acontecendo?

— Acabei de ver Wallace na praia.

— Como foi isso?

— Fui dar um mergulho na água e, quando saí, ele estava junto à barraca de coco observando as pessoas. Acho que sua intenção era que eu o visse.

— É possível.

— Mas por que e para que faria isso?

— Para mostrar que pode te pegar quando quiser. Onde você está?

— Na pensão.

— Já almoçou?

— Não, mas posso pedir para algum bar entregar um sanduíche.

— É melhor fazer isso mesmo. Wallace deve saber onde vocês estão hospedados. Não é aconselhável sair sozinha. Almoce aí mesmo e espere Ratto chegar. Se alguém tocar a campainha, não abra e ligue para a portaria. Telefone para mim imediatamente caso se sinta ameaçada. Dê notícias.

Quando o delegado desligou, Rita ainda sentia um leve tremor nos braços e nas pernas. Tinha certeza de que Wallace estava interessado em Ratto e ela mesma só servia como isca. Se o policial queria o dinheiro, Ratto era o caminho. De qualquer forma, como pessoa ou como isca, estava sozinha, sem defesa e sem ter para onde ir.

No fim do dia, como Ratto não chegara, telefonou para Espinosa e contou como estava se sentindo.

— Fique onde está. Não abra a porta até eu chegar.

Ele encontrou Rita sentada no sofá abraçada a duas almofadas.

— O que aconteceu?

— Espinosa, eu perdi tudo.

— Que tudo?

— Tudo. Não tenho mais nada. As duas únicas amigas que eu tinha foram assassinadas enquanto eu caminhava na praia. Ratto não voltou, não telefonou nem deixou recado.

— Ele vai voltar.

— Como é que você sabe? Wallace já me viu na praia. Deve ter esperado eu sair e me seguiu até aqui. Viu que o prédio só tem uma saída. Está esperando Ratto chegar, para pegar nós dois de uma vez só.

— Você pediu comida?

— Não.

— Então, tire essas lágrimas do rosto, se vista e vamos

procurar um restaurante perto daqui. Deixaremos um recado para Ratto na portaria.

Voltaram ao hotel com Rita quase correndo e puxando o delegado pelo braço, mas não havia recado de Ratto.

— Quer que eu providencie alguém para fazer companhia a você?

— Não sou mais criança, não estou com medo do bicho-papão. Estou com medo de um assassino de mulheres. Se você botar alguém para ficar comigo durante a noite, vamos ter mais uma pessoa com quem nos preocupar.

Espinosa respirou fundo e deixou algumas instruções. Depois que ele foi embora, Rita dormiu e não acordou até ouvir o ruído da bandeja no café da manhã.

Sozinha, ficou pensando se seria oportuno aproveitar as primeiras horas do dia e sair para fazer sua caminhada. Sem notícia de Ratto, optou por ir à academia, mais próxima da pensão, e deixar a praia para outro dia.

Atravessou a rua Barata Ribeiro, em seguida a avenida Copacabana até atingir a Atlântica, mantendo-se do lado dos edifícios e das amendoeiras. Tentava prestar mais atenção aos estrangeiros. Quanto mais diferentes eles eram, mais ela queria saber como viviam e se relacionavam. Daí a preferência por fazer programa com turistas. Até aqueles últimos meses, dinheiro era uma questão secundária. Ela podia se dar ao luxo de escolher clientes. Só passara a ser o centro da questão no momento em que se vira enredada numa verdadeira caçada. E agora era ela mesma quem tentava caçar Ratto. Conferia o celular obsessivamente e xingava se não via uma mensagem.

Voltou a ligar para Espinosa. Ele não tinha notícias de Ratto, Wallace ou Japa. Orientou-a a permanecer na pensão até o final da tarde, quando sairia da delegacia e a buscaria para levá-la ao apartamento no bairro Peixoto.

Rita estava sentada no hall com sua mala de rodinhas junto à poltrona. Assim que reconheceu Espinosa sob a luz das luminárias da entrada, levantou-se do sofá e sorriu.

— Finalmente.

— Por que essa cara assustada?

— Porque estou assustada.

Saíram, com Espinosa atento ao percurso e Rita olhando para todos os lados.

— Quando foi a última vez que esteve com Ratto?

— Faz dois ou três dias, não estou muito certa. Esses últimos tempos têm sido confusos... meu maior medo é chegar no hotel, encontrar Ratto e não o reconhecer. Já rolou isso comigo, mas não com Ratto. Foi com Silvia e Sueli. Num fim de noite, encontrei as duas no calçadão. Quando elas pararam na minha frente, me deu um branco, não conseguia dizer os nomes delas nem de onde as conhecia. Quando fui visitar Zilda, aconteceu a mesma coisa. Vi ela no metrô e na rua todos os prédios pareciam iguais.

Espinosa acompanhou com atenção a fala de Rita, e percebeu que ela não olhava mais para os lados ou para trás, procurando o fantasma perseguidor: estava centrada em si mesma.

Em casa, ele a deixou cair na poltrona e disse:

— Até Ratto reaparecer, você terá um policial aqui dentro. Sabe onde ficam as coisas. A casa é sua.

— Vai sair? Vai me deixar sozinha?

— Marquei de dormir com Irene, e talvez seja melhor Wallace pensar que você está indefesa. Pode ser o caminho mais curto para acabar com isso. Mas não se preocupe, o inspetor Welber já está subindo para ficar com você.

Rita gostava de Welber. O sujeito tinha um temperamento agradável, era calmo sem ser aborrecido, e conversava sobre qualquer assunto sem bancar o gênio.

Mais tarde, enquanto ela lia, Welber conferia o celular.

— Acha que vamos pegar Wallace?

Welber tirou o olho do celular. Já era tarde da noite e ele não imaginava que Rita, ainda lendo na poltrona, fosse fazer perguntas tão difíceis.

— Acho — respondeu. — Ele está se sentindo cada vez mais forte e esperto.

— Isso é ruim?

— Não é questão de bom ou ruim, mas de excesso de autoconfiança.

— Você acha que estraga — Rita disse.

— Isso.

— E Ratto?

— O que tem ele?

— Por que você acha que desapareceu?

— Não desapareceu, só está escondido. É diferente. Está fazendo seu próprio jogo.

— Ele está escondido porque é perseguido e nós estamos escondidos para não sermos pegos?

— Mais ou menos isso. Não acredito que Wallace tente se aproximar deste prédio, e mesmo que passe pela calçada não ousaria entrar. Ele sabe o que vai acontecer se for pego.

— Vão comer o cu dele na cadeia.

Welber olhou para ela, sem acreditar no que acabara de ouvir.

— Quantos anos você tem, menina?

— Vinte e um.

— Nunca foi presa ou detida?

— Não. Eu apelava para o fato de ser estudante. Se insistissem, dizia que era órfã de pai e mãe.

— E é mesmo?

— Desde os catorze anos.

— Lamento.

— Mas não foi por isso que caí na vida. Podia virar babá e tomar conta de criança pequena, mas não queria ficar presa com pirralhos dando ordens como se fossem os donos da casa. E você? Sempre foi policial?

— Não. Fui uma criança como todas as outras. Quando terminei o segundo grau, fiz vestibular para direito e no fim da faculdade passei no concurso da Ordem. Só que eu me entediava fácil. Um amigo recomendou a polícia e decidi tentar.

— Prefere ser policial ou advogado?

— Por enquanto, policial, mas pretendo trabalhar como advogado no futuro. Provavelmente já ficou menos chato.

— Quando?

Welber deu de ombros e a conversa morreu. Pouco depois, Rita foi para o quarto. O inspetor permaneceria acordado durante toda a noite. Ela passou em frente à curiosa estante do delegado Espinosa e retirou um livro ao acaso. Quando amanheceu, havia lido quase metade. Levantou-se da poltrona e foi pegar o jornal na porta da frente; em seguida entrou no banheiro, lavou o rosto, escovou os dentes e foi à cozinha para ligar a máquina de café.

A chegada de Espinosa quebrou o silêncio. O delegado olhou para ela e perguntou se tivera notícias de Ratto.

— Nada.

— Para onde acha que ele pode ter ido?

— Uma vez eu disse que São Paulo era grande o bastante para nos ocultar durante vários anos.

— E por que não foram?

— Porque poderíamos nos ocultar, ele disse, mas não poderíamos nos manter por muito tempo. Não conhecemos ninguém lá, não somos mão de obra qualificada e não teríamos onde ficar até conseguirmos uma moradia. E não tinha você.

— Mas não estão piores aqui?

— Temos pouco dinheiro. Wallace pegou tudo. Estamos vivendo de sobras. Pelo menos aqui conhecemos a cidade e os recursos que ela oferece. Conhecemos pessoas e abrigos.

— E o que você pensa em fazer?

— Antes de mais nada, tenho que encontrar Ratto. Ele pode aparecer hoje ou na semana que vem. Ficar esperando alguém sem data marcada e sem saber onde essa pessoa está é insuportável. Preciso sair para me exercitar. A academia fica a uma quadra daqui, é mais perto do que o hotel. Posso ir fazer minha ginástica e voltar em uma hora. Não pretendo caminhar pela praia, Wallace já me viu andando por lá, sabe qual é o percurso que faço.

— Então fica combinado assim — Espinosa disse. — Você fica hospedada no apartamento até Ratto reaparecer. Alguém fica com você à noite. Se precisar sair mais de uma vez durante o dia, faça um percurso diferente para voltar, e sempre ligue para a delegacia e deixe um recado para mim dizendo o destino e a hora da saída.

— Pode deixar.

— Agora eu e Welber vamos trabalhar. Qualquer coisa, já sabe.

— Sim, senhor.

Assim que Espinosa e Welber saíram, Rita pegou a sacola com a roupa de ginástica, calçou o tênis e saiu a caminho da academia. Na volta, o silêncio quase absoluto dava a impressão de estar subindo as escadas de um edifício sem moradores.

Ela dormiu a tarde toda. Acordou às seis e meia com o celular tocando em cima da mesa.

— Boa tarde, Rita. Como estão as coisas por aí?

— Tão tranquilas que cheguei a cochilar.

— Nada do Ratto?

— Nada. Nem aí na delegacia?

— Não. Acho que vamos ter de esperar um pouco mais.

— Delegado, será que...

— Não. O fato de não termos recebido nenhuma notícia não significa que algo de ruim tenha acontecido a ele. Daqui a pouco vou para casa e falamos sobre isso.

Espinosa chegou às sete e meia. A chuva molhara seu paletó e as embalagens do restaurante árabe.

— Desculpe ter deixado você sozinha por tanto tempo.

— Está tudo bem. Poderia ser pior.

Durante o jantar, Ratto, Japa e Wallace foram provisoriamente postos entre parênteses. O quibe foi o rei da mesa e o vinho tinto foi o pacificador dos ânimos. Muito cedo, Rita pediu desculpas e foi dormir. Não tinha condições de falar sobre o que quer que fosse. Acordou antes de o dia clarear e saiu sem tomar café. Foi direto à pensão em busca de Ratto ou de alguma notícia dele. Nada. Decidiu tomar o metrô.

A plataforma para a Cinelândia estava cheia de gente indo para o trabalho. O que a maioria das pessoas considerava desagradável, Rita via como proteção. Baixando o nível de atenção, cuidou de chegar ao prédio onde moraram Zilda e Japa sem perder a vida. Lá, a única coisa que encontrou foi o portão fechado.

# TERCEIRA PARTE
# Vestígio

# 9.

Desde que Wallace tomara quase todo o seu dinheiro, Japa estava hospedado em um hotel no Catete. Era uma construção desgastada pelo tempo e com pouquíssimos luxos. Não dera seu nome verdadeiro no registro e mantivera sua bagagem e seus objetos pessoais prontos para uma saída rápida.

Ele sabia que em matéria de disfarce não era das pessoas mais abençoadas. O próprio apelido já era indicador da sua aparência. Mesmo usando óculos escuros ou mudando de nome, continuava sendo visto como japonês. Não adiantava esconder parte de si mesmo, tinha que se esconder por inteiro, o que sem dúvida era mais trabalhoso, mas funcionava. A saída da Lapa perturbara sua vida profissional, doméstica e afetiva a ponto de ele não saber qual direção tomar, qual solo escolher, que vida assumir. Tinha dificuldade de andar em linha reta, e era com grande alvoroço que conseguia se desviar das pessoas indo em sentido oposto. Caminhar uma quadra o deixava exausto e nervoso pelo resto do dia. Sentia falta de Zilda, embora ela o aborrecesse com miudezas quanto à arrumação da casa ou a seu modo de comer. Sentia falta também de Ratto e de como arranjava dinheiro rápido. Por último, sentia falta do apartamento. Sem Zilda, era como um navio sem tripulação.

Entrou no quarto do hotel e procurou a garrafa que deixara na véspera em cima da mesa de cabeceira. Procurou no frigobar, no banheiro e em todos os cantos. Sua vida enojaria qualquer um. Comia apenas o prato do dia do botequim em frente, acompanhado de vodca com suco de limão. Comia pouco e bebia muito, a ponto de no final do dia o garçom ou mesmo o gerente acompanhá-lo até a porta do hotel, do outro lado da rua. Aos poucos, como um marujo enfrentando a tormenta, se acostumou a chamar aquele processo de "travessia".

Foi numa travessia que, sem perceber, cruzou com Ratto.

Ele sentia que os tempos haviam mudado. A sociedade não era mais Japa e Ratto, mas Japa e Wallace, e as regras internas tinham deixado de ser igualitárias e passado a ser policiais. Não estava muito confiante na capacidade intelectual do antigo amigo. O álcool, se não tinha corroído inteiramente seu cérebro, comprometera a qualidade do que restara. Foi por isso que preferiu segui-lo à distância ao invés de simplesmente interpelá-lo no meio da rua.

Na recepção do hotel, perguntou por Japa, e o rapaz, atendendo dois hóspedes que faziam o check-out, deu um sorriso amarelo. Percebendo o que havia feito, Ratto disse o nome verdadeiro.

— Não tem ninguém aqui com esse nome.

— Acabei de ver ele entrando.

— Muita gente entra, muita gente sai.

— Mas aposto que nenhum tem cara de japonês.

— Alguns. Senhor, isso aqui é o Rio de Janeiro, é óbvio que...

— Amigo, eu *vi*.

— Senhor, infelizmente não posso dar informações sobre nossos...

Ratto tirou uma nota de cem e botou em cima do balcão.

— Ele corre risco de vida.

— Senhor, eu...

— Meu camarada, estou te dando cem reais. Por favor.

O rapaz enxugou a testa e pegou a nota.

— Temos um hóspede oriental, sim. Mas ele quase nunca sai do quarto.

— Interfona.

— Senhor...

Ratto botou uma nota de cinquenta no balcão.

O rapaz pegou o aparelho e tentou ligar. Ninguém atendeu. Ele esperou e tentou de novo.

— O senhor não quer deixar um bilhete?

— Prefiro subir.

— Impossível.

— Te dou mais cem reais.

— Nem que fossem mil. Tem certeza que não quer deixar um bilhete?

— Tenho. Se ele aparecer, diga que o Ratto esteve aqui.

* * *

Assim que deixou o hotel de Japa, Ratto quis ver Rita. Odiava ter que fugir. Queria pedir desculpas e torcer para que ela entendesse como era complicada aquela existência. Antes, achou melhor ir até a delegacia. Como Espinosa tinha acabado de sair, decidiu rumar para o bairro Peixoto.

Da rua, podia ver que a luz da sala do apartamento estava acesa. Ligou para o celular do delegado.

— Boa noite, delegado. É o Ratto.

— Estava preocupado com você.

— Desculpe. Achei melhor me ausentar. Não comente nada com Rita, mas não quero que ela corra risco por minha causa. Sabia que estaria em boas mãos.

— Ela está comigo. Mas o que levou você a retornar, Ratto?

— Aconteceu uma coisa, delegado.

— O quê?

— Encontrei o Japa.

— Onde você está?

— Olhando para sua janela.

— Então é só subir. Vou destrancar a porta.

Ele atravessou o pequeno hall e subiu a escada vagarosamente. Quando chegou ao terceiro andar, a porta estava aberta.

— Cadê a Rita?

— Saiu.

— Para onde? Você não disse que ela estava contigo?

— Ela está aqui em casa, foi isso o que eu quis dizer. Mas está com o celular, vai me avisar se acontecer qualquer coisa. Sente. Você chegou em boa hora, eu estava botando a mesa.

Espinosa pediu para Ratto contar o que havia se passado nos últimos dias.

— Então o Japa não reconheceu você?

— Não, delegado. Ele entrou no hotel onde estava hospedado e depois não o vi mais. Conversei com o recepcionista e tentamos interfonar, mas ele não atendeu.

— Você tentou subir?

— O sujeito não deixou. De qualquer forma, Japa teria atendido. Acho que ele só fingiu que entrou no hotel. Não sei. É tudo muito confuso.

— E o que você concluiu dessa sua busca?

— Na minha opinião, Japa está fora da história. Fisicamente, mal consegue ficar em pé. Wallace ainda não o pegou e esganou porque não quis. De qualquer modo, delegado, tem uma coisa que ainda me preocupa. Wallace está desaparecido, e não creio que seja por acaso, como o senhor mesmo já disse. Tenho certeza de que ele sabe onde Japa está e por onde se locomove. E que também sabe tudo sobre Rita e eu. Então o que está esperando?

— Tempo.

— Tempo?

— É, ele está esperando passar um pouco mais de tempo. O suficiente para o foco sair de cima dele e relaxarmos na proteção de vocês.

Antes de o silêncio voltar a dominar o ambiente, a campainha tocou duas vezes seguidas. Espinosa levantou-se com rapidez e destrancou a porta enquanto mantinha a arma segura junto à perna. Abriu apenas o suficiente para enxergar Rita. Quando viu Ratto, ela sorriu exultante.

O delegado serviu quibe e esfirra para os dois.

— Isto é uma reunião? — Rita quis saber.

— Se for, é uma reunião sobre como te proteger da melhor forma.

— Sempre me protegi sozinha. Ultimamente Ratto tem tentado, mas já não sei se está funcionando. E não por falha sua, querido, não é isso. Acho que vocês não devem se preocupar comigo. Sou uma puta, e puta não tem dono. Mas sou muito grata. De verdade.

Ela esticou a mão e pegou uma esfirra. A conversa prosseguiu, e os três concordaram que o possível ataque de Wallace deveria estar próximo.

— Vou pedir a Welber e Ramiro para concentrarem todos os esforços na captura de Wallace — Espinosa disse.

Um pouco mais tranquilo, Ratto sugeriu que voltassem à pensão. Rita aceitou. Antes de saírem, combinaram um esquema seguro de comunicação.

Dormiram sem retomar a conversa iniciada na casa do delegado. Pela manhã, sentindo-se segura, Rita o deixou descansando e optou por uma corrida leve na areia junto à água, intercalada com rápidos mergulhos no mar. Procurou a barraca do vendedor de coco e deixou suas coisas ao cuidado dele. Fez uns exercícios de alongamento e iniciou a corrida na direção da pedra do Leme.

A beleza daquele trecho fascinava Rita. O Forte, no alto da mata, erguia-se acima das ondas que estouravam na mureta. Decidiu correr mais um pouco no que era conhecido como Caminho dos Pescadores. Ultrapassou os quiosques no começo do asfalto e foi serpenteando a murada até o final do percurso. Observou os barquinhos e as ilhas Cagarras ao longe. Nuvens agitavam o céu e prenunciavam chuva forte. Ela respirou fundo, sentiu a brisa e deu meia-volta.

Foi quando viu Wallace caminhando em sua direção. Não tinha para onde fugir.

Ele se aproximou e agarrou seu pescoço.

— Cadê seu amiguinho?

Rita sentiu o ar escapar.

Wallace riu.

— Cadê o Ratto e o resto do dinheiro, porra?

— Aqui.

Sem ar, Rita não viu o que aconteceu. Um esguicho de sangue molhou seu rosto e Wallace tombou no asfalto quente. Atrás dele, empunhando um facão, estava Ratto.

# 10.

Espinosa quase caiu da cadeira quando Ratto telefonou dizendo que estava no Caminho dos Pescadores com Wallace sob a mira de um facão, o braço quase decepado. Chamou Welber e Ramiro, providenciou uma ambulância e foi de sirene ligada até a pedra do Leme. Lá, encontrou Wallace estirado com uma poça vermelha empapando a camisa. Abraçada a Ratto, Rita chorava convulsivamente.

Os paramédicos levaram o policial embora e Rita foi amparada por Welber. Tentando manter a calma, Espinosa olhava para o sangue no chão.

— Ratto, por favor, como...

— Eu sabia que Rita ia correr na praia, estava tudo tranquilo e ontem o senhor garantiu que ficaríamos bem. Só não esperava que ela saísse antes que eu acordasse. Quando vi que já tinha ido, botei qualquer roupa e fui atrás. Rita sempre deixa as coisas com um vendedor de coco. Ele disse que ela tinha ido na direção do Leme. Fui junto. Quando estava chegando, vi Wallace se encaminhando para o Caminho dos

Pescadores. Agarrei o facão de uma barraquinha e corri. Fiz mal, delegado?

Espinosa tirou o olho do sangue no chão e observou Ratto.

Não disse nada.

No final da tarde, o delegado recebeu notícias do hospital. Wallace tinha sido operado. Sua clavícula estava fraturada e um nervo fora severamente lesionado. De acordo com o médico, na melhor das hipóteses, conseguiria mexer os dedos após muita fisioterapia.

À noite, ele telefonou para Ratto e deu as notícias, aproveitando para perguntar por Rita.

— Ela está bem, delegado. Se recuperando. Eu é que devia ter dado o golpe na cabeça.

— Se acalme, Ratto. O pior já passou. Qualquer coisa, me avise.

Na manhã seguinte não houve caminhada na praia nem exercícios na academia.

# 11.

Espinosa acordou disposto a retomar suas caminhadas matinais interrompidas nas últimas semanas. Passeou observando o fluxo de pessoas e procurou não pensar em nada que fosse incômodo. De mais preocupante, só o estado de saúde do cachorro de Alice, sua vizinha. Após a morte de Vizinho, o primeiro labrador, ela adotara outro. Pança agora era um senhor e andava nas últimas. Os passeios se faziam cada vez mais curtos, e ele odiaria ver Alice chorar a morte do bicho. Decidiu visitá-la antes de ir para a delegacia.

Sempre tentara responder com a maior exatidão possível às perguntas que ela lhe fazia, mas se achava frequentemente enredado em questionamentos complexos sobre a vida e a existência humana. Naquela manhã os dois tomaram café juntos e o delegado pensou ter conseguido se livrar de perguntas capciosas contando o caso em que estivera metido. Alice acompanhou o relato com genuína curiosidade e então disse:

— Por que você sempre ajuda essas pessoas?

— Não entendi.

— Por que você sempre leva os perseguidos para sua casa e dá abrigo a eles? Você é bom demais para este mundo. Seu apartamento não pode ser um hotel para mulheres indefesas e malandros da Lapa. Você já tem sessenta anos, homem.

— Sessenta anos e um revólver. Me passa a geleia?

Pança se aproximou e cheirou a mão dele. Espinosa fez um carinho em sua cabeça e perguntou se Alice precisava de alguma ajuda.

— Não tem nada que possamos fazer a não ser esperar. Mas obrigada.

Ele terminou de comer, se despediu e caminhou até a delegacia pensando no que Alice havia dito. De fato, sempre fora obsessivo com o trabalho. Não era chegada a hora de repensar aquilo? Wallace, por exemplo, poderia ser mais maluco ainda e invadir seu apartamento. Não havia nada que garantisse que ele não seria capaz de fazê-lo. O bom senso e a ideia de que ninguém invadiria a casa de um delegado atrás de dinheiro eram uma construção como outra qualquer. A realidade não tinha nenhuma obrigação de concordar com aquilo. E esse era o terror. Tentando se desvencilhar dos pensamentos, Espinosa chegou à delegacia e recebeu a notícia de que Rodrigues havia deixado recado. Marcou um almoço na Trattoria e escolheu a melhor mesa de canto.

— O que está te perturbando? — Espinosa perguntou.

— Queria saber por que Wallace estava tentando matar Rita.

— Para que ela morresse, penso.

— Espinosa, sei que você tem nome e jeito de filósofo, mas o que quero saber é: qual era o motivo dele para tentar matar a garota?

— Viva ela é uma ameaça.

— Como uma moça frágil pode ser uma ameaça para um policial militar de um metro e noventa, forte como um lutador?

— Falando.

— Falando o quê?

— Falando que ele matou três mulheres. Rita é a única testemunha de que ele esteve na ladeira antes de Silvia e Sueli morrerem. Ela encontrou o cadáver de Morena. Acho que são motivos fortes o bastante.

— Não acha que tem alguma coisa estranha nessas mortes? Não é realmente curioso que essa menina esteja presente em todos esses casos?

— Se você está sugerindo que essa menina cometeu todos esses crimes, por que ela faria isso?

— Não estou sugerindo nada, estou apenas dizendo que a presença dela nas cenas dá lugar a uma série de interrogações perturbadoras.

Espinosa entendia as dúvidas de Rodrigues sobre Rita, mas no pouco tempo que a abrigara em seu apartamento formara uma imagem que em nada combinava com a de uma assassina cruel. O que ele não podia fazer era interferir na investigação de Rodrigues, por mais amigos que fossem.

Achou melhor deixar para lá.

Ratto e Rita almoçaram no bar. Na saída, andando pelo calçadão, ele sugeriu que falassem com Espinosa para saber o estado das investigações. Era importante que Wallace fosse preso e responsabilizado pelos assassinatos de Silvia, Sueli, Morena e Zilda.

Àquela hora, a 12ª DP estava cheia de policiais retornando de diligências. Foi Welber quem os reconheceu e conduziu ao gabinete do delegado. Atolado em burocracias, Espinosa não podia demorar muito na conversa. Reiterou que Wallace quase perdera um braço e agora estava sob a responsabilidade de Rodrigues.

— Ele acha estranha a presença de Rita em todas as cenas do crime.

— O que tem de estranho nisso? — Ratto quis saber.

— Pois é. Também fiquei curioso. Entendo o raciocínio, mas fiquei curioso. Vamos acompanhar.

— Não tem o que acompanhar — Rita se defendeu. — Eu estava lá porque fui perseguida.

Enquanto andavam pela orla, agora livres, Ratto comentou que conseguia ver algum sentido na hipótese de Rodrigues. Rita perguntou se ele achava que ela podia ter alguma participação naquilo tudo.

— Só como vítima — Ratto respondeu. — De qualquer forma, acho importante nosso discurso ser o mesmo. Querendo ou não, tem um delegado da Homicídios desconfiado de você.

Em silêncio, Rita pegou um coco no quiosque e disse

que gostaria de ir até o mar. Ratto concordou. Sentaram a poucos metros da água e se abraçaram. Ficaram calados, observando o movimento dos barquinhos ao longe, até que Rita perguntou se ele queria que ela dissesse tudo.

— Tudo o quê?

— Tudo.

— Que tudo? Ficou doida?

Ela deixou uma lágrima escorrer e disse:

— Vou te contar a verdade. Sueli e Silvia não eram minhas amigas de longa data. Fazia apenas dois meses que me conheciam quando me apresentaram a você. Na verdade, o que elas pretendiam era me levar como um presente porque achavam que eu podia contribuir para aumentar a diária, já que você estava saindo de uma situação financeira barra-pesada. Se você podia fazer aquele dinheiro todo em um ano na Lapa, poderia fazer muito mais com uma boa equipe em Copacabana. Mas em pouco tempo eu estava dividindo a cama contigo. Claro que isso dava lugar a uma competição. No dia em que Silvia e Sueli morreram, passei pela portaria e fui direto ao quarto. A porta estava destrancada e a cena que encontrei não era muito diferente da que eu suspeitava encontrar, tendo em vista meu quase encontro com Wallace. Elas estavam amarradas e tinham sido torturadas. A impressão era horrível. Não estavam propriamente desmaiadas, mas em estado de choque. Não falavam nem respondiam ao que eu perguntava. Coloquei a cabeça de Sueli sobre minhas pernas, fiquei um bom tempo acariciando seus cabelos com as duas mãos na expectativa de algum movimento ou de algum som que denunciasse um sinal de vida. Fiz o mesmo com Silvia. Esperei mais alguns segundos e com um gesto brusco, com toda a força possível, torci o pescoço dela como se arrancasse a tampa de uma garrafa. Não houve nenhum grito de dor. Fiz o mesmo com Sueli. Depois esperei um tempo e chamei a polícia.

Ratto olhava assombrado esperando que ela desmentisse tudo o que dissera.

— Essa é a minha história.

Os dois se levantaram da areia e andaram em direção à avenida Atlântica com passos e gestos automatizados. Da parte de Ratto, havia silêncio completo; Rita, com longos intervalos de tempo, olhava para ele esperando uma exclamação, um grito ou qualquer coisa inteligente e afetiva, mas nada acontecia. Continuaram andando por Copacabana como se estivessem caminhando numa praia selvagem e vazia. O que perturbava Ratto não era o silêncio de Rita quanto ao conteúdo de sua narrativa ou a ausência de qualquer manifestação emocional. O que o deixava completamente desnorteado era o tom da fala, sem nenhuma mudança ou choro.

A tarde estava caindo e em pouco tempo estaria escuro. Decidiram voltar à pensão. Já no quarto, foi Ratto quem quebrou o silêncio.

— Tem alguma parte dessa história toda que você gostaria de alterar?

— Não. É a verdade. O que eu poderia fazer? As duas me tinham como rival e provavelmente nunca mais se recuperariam do choque.

— Rita...

— Minha história foi contada ou provocada, chame como quiser, por pressão sua.

— Minha?

— Eu não menti. Contei a minha história.

— Eu tentei te proteger, porra. Tem um delegado achando que você matou essa gente, e o pior é que parece que ele está certo. Não consigo acreditar no que você disse: aproveitar o estado de choque das suas amigas, acariciar seus cabelos e quebrar o pescoço delas, e ainda por cima pedir proteção ao delegado Espinosa. Puta que pariu. Prefiro pensar que você disse aquilo tudo para me impactar, para mostrar que é mais poderosa do que eu ou até mesmo que o Wallace. Honestamente, Rita, não é possível. Que se foda.

Não houve conversa além do bom-dia. Ela vestiu o biquíni, o short e a camiseta, pegou a sacola e foi correr na praia para depois ir à academia. Com Wallace fora de combate, a corrida era bem menos ameaçadora, apesar de a manhã estar coberta de nuvens. Retornando à pensão, encontrou Ratto ainda dormindo. Ele demorou um pouco para se levantar, e quando o fez foi porque sabia que já não adiantava engolir as palavras, sobretudo quando sabia que no lugar delas ficara o vazio. Precisava falar.

— Você me contou uma história e eu ouvi, mas isso não quer dizer que ela seja verdadeira. Mas a possibilidade de que seja está me deixando doido. É claro que o delegado Espinosa e o dono do hotel não te viram matando ninguém, já encontraram as duas mortas. O que importa é que ninguém viu você passar pela recepção, Rita, assim como ninguém viu você entrar no quarto de Silvia e de Sueli. Se eu esquecer o que você disse, não há testemunha da morte das duas.

Passados dois dias, Rodrigues foi à 12ª DP.

— Espinosa, preciso conversar contigo sobre o caso do tal Wallace.

— Claro, sente. O que está preocupando você?

— Rita. A onipresença dela é uma coisa que me persegue. Hoje fui ao hospital e conversei com Wallace na frente do chefe da equipe que o operou. Pedi que me contasse como foi o confronto com Ratto na pedra do Leme. Em seguida, perguntei sobre o que aconteceu no quarto da pensão. Ele contou que foi lá à procura de Rita. Sueli e Silvia interessavam apenas pela possibilidade de dizer onde poderia encontrar Rita ou Ratto. Elas não sabiam quase nada sobre Ratto, disseram que ele aparecia ocasionalmente, ficava pouco tempo e desaparecia sem dizer para onde ia. Wallace perguntou por Rita e elas disseram que ela não aparecia mais no hotel desde que Ratto deixara de ir lá. Eu perguntei a Wallace por que havia matado as duas, e ele quis saber do que eu estava falando. Muito calmo, eu disse que as duas tinham sido encontradas mortas. Wallace disse que não sabia daquilo, que não havia matado ninguém. O cara admitiu as torturas, mas disse que foi embora quando viu que não ia conseguir nada. Quando levantei, ele pôs a mão sobre o meu braço e repetiu, olhando no fundo dos meus olhos, que não tinha matado as mulheres. E eu acreditei.

O olhar de Espinosa passeou pelo seu gabinete, pela sua

mesa de trabalho, pela arma que estava sobre a mesa junto com as canetas esferográficas. Ele lembrou a conversa com Alice e sentiu uma melancolia que havia muito não sentia.

— Rodrigues, isso é inteiramente subjetivo. Não há como confirmar nem refutar o que ele disse. Suponhamos que seja verdade: é a palavra de uma menina de vinte e um anos, que me pediu proteção e passou os últimos meses assustada, contra a de um policial corrupto e chantagista que matou a própria namorada num banheiro.

— Seria uma pena terminar assim.

— O que temos de concreto são os corpos. Não temos nenhuma confissão de culpa.

Contrariado, Rodrigues se levantou, apertou a mão de Espinosa e disse:

— Então é isso.

— Tem certeza?

— O que você espera que eu faça? Arquive como não solucionado?

— A não ser que venha a ser solucionado.

# 12.

Espinosa tirou um mês de férias. Aproveitou para curtir Irene, Alice e Pança, mas o descanso não eliminou o peso do caso que envolvia Rita, seu companheiro Ratto e os assassinatos das mulheres. A poucos dias do retorno ao trabalho, ele estava na Galeria Menescal quando Welber telefonou.

— Desculpa atrapalhar suas férias, delegado, mas é que Ramiro e eu achamos melhor colocar o senhor a par de tudo.

— Tudo o quê? Aconteceu alguma coisa?

— O Ratto.

— O que houve com Ratto?

— Tomou um tiro na cabeça.

— E Rita?

— Não há notícia dela.

— Como assim?

— Rita desapareceu, delegado.

— Rodrigues sabe?

— Avisamos assim que soubemos.

— Onde acharam o corpo?

— Na ladeira dos Tabajaras. Uma diarista saiu para o trabalho e o encontrou estendido próximo à curva, lá em cima. O delegado Rodrigues disse que ia se encarregar do caso até o senhor voltar.

— Então diga a ele que já voltei.

Espinosa terminou de comer e passou o resto da tarde pensando no caso. A morte solitária de Ratto não fazia sentido. Sua maior defesa era a esperteza. Não ia se deixar apanhar sozinho à noite na ladeira dos Tabajaras. Rita estaria com ele.

Perturbado, o delegado decidiu deitar cedo. Não para dormir, mas para pensar nas condições e no motivo da morte de Ratto. Às três da madrugada ainda estava acordado; às cinco, estava tomando banho; às seis, preparava o café da manhã, que se prolongou até as sete. Às oito, estava na delegacia.

— O tiro foi dado na nuca — Ramiro disse. — Quem fez isso o pegou por trás, na covardia.

— Como um homem ágil, de reflexos rápidos e atento ao que o cerca é pego sem perceber o movimento ao seu redor? Ninguém conseguiu identificar o assassino? Ninguém ouviu a porra do disparo? Não foi um tiro de espingardinha de rolha, foi um tiro de trinta e oito numa rua estreita, cercada de prédios e de morros, em uma hora de pouco movimento. Daria para ouvir até aqui na delegacia. Nenhum de vocês é capaz de responder a pelo menos uma dessas perguntas?

— Delegado — Welber disse —, o barulho do motor dos carros subindo a ladeira abafa tudo. Fomos os primeiros a chegar ao local do crime. Não vimos nada que chamasse a atenção, ninguém estranho, ninguém correndo. Nos concentramos no corpo estirado na calçada, na cabeça sobre a poça de sangue. Não foi difícil identificar a vítima. Então comunicamos o ocorrido ao delegado Rodrigues. Mas sabíamos que o senhor ia se preocupar. Por nossa conta, iniciamos naquela mesma noite uma investigação do paradeiro de Rita. Fomos imediatamente à pensão e perguntamos se ela tinha voltado.

— Negativo — Ramiro disse.

— Não temos notícia de Rita — continuou Welber. — Não sabemos se ela estava com ele no momento do crime, não sabemos se saiu correndo com medo de ser morta também.

— Encontrar Rita é prioridade — disse Espinosa. — Com a morte de Ratto, ela precisará retornar imediatamente à prostituição. As áreas onde opera são o calçadão da praia de Copacabana e uma pequena parte da Lapa. Façam uma busca no calçadão e na Lapa. Caso a encontrem, tentem uma abordagem suave e tragam-na à delegacia sem pressionar com perguntas. Digam que quero falar com ela. Não se esqueçam de que é uma mulher inteligente e ágil.

Rita passou a noite debaixo dos coqueiros, tremendo. Quando a manhã chegou com o céu carregado de nuvens, sentiu-se livre para correr pela beira da praia de Copacabana. Mesmo sem reconhecer os rostos que cruzavam seu caminho, foi até a pedra do Leme e subiu o asfalto que contornava a rocha. A chuva desabou antes que pudesse se abrigar. Quanto mais andava, mais percebia a crista das ondas passando ao seu lado, e mais chegava ao que parecia o final do caminho. A bruma seca da manhã impedia uma visão completa. De vez em quando, respingos salgados grudavam no seu rosto. Ficou parada ali, sozinha.

Uma onda maior que as demais fez Rita dar meia-volta e retornar com passos mais rápidos, voltando a cabeça repetidamente para trás. Em algum momento, trombou com um homem. No lado esquerdo as ondas passavam molhando a mureta; à direita, apenas a imensa pedra escura que subia dezenas de metros acima de seu corpo miúdo. Não tinha como fugir.

— Wallace manda lembranças — o homem disse.

Rita se desesperou e olhou para todos os lados à procura de Ratto, mas ele não estava lá.

Welber e Ramiro se dividiram. O primeiro se encarregou da avenida Atlântica, percorrendo-a de carro e a pé. Não encontrou nada além de travestis e mulheres que não se pareciam com Rita. Insistente, Ramiro foi à Lapa conversar com putas e garçons espalhados por diversos cantos. Ninguém conhecia Rita.

Os meses passaram e o caso foi perdendo força. Espinosa tentou se preocupar menos com o assunto. Achava que ela poderia ter ido para São Paulo. Pensou em fazer algumas ligações e confirmar a hipótese, mas desistiu. Era outro mundo, aquele, com outras pessoas e outros policiais. Sentia-se como parte de uma velha escola que forjava homens e mulheres desgastados em nome do que parecia ser o bem comum. A corporação parecia ter adotado Wallace como regra, e não existia mais espaço para o bem comum; o que restava era sua consciência, e era aquilo que doía, ele pensou enquanto Irene repousava sobre seu peito, a chuva ribombando lá fora: algum dia tudo ia se acabar e ele seria apenas uma sombra, um vestígio do que verdadeiramente havia sido: um bom policial.

ESTA OBRA FOI COMPOSTA PELA SPRESS
EM GUARDIAN E IMPRESSA
PELA GEOGRÁFICA EM OFSETE SOBRE
PAPEL ALTA ALVURA DA SUZANO S.A.
PARA A EDITORA SCHWARCZ
EM SETEMBRO DE 2019

A marca FSC® é a garantia de que a madeira utilizada na fabricação do papel deste livro provém de florestas que foram gerenciadas de maneira ambientalmente correta, socialmente justa e economicamente viável, além de outras fontes de origem controlada.